Mère-Solitude

ÉMILE OLLIVIER

Mère-Solitude

Roman

LE SERPENT A PLUMES *ÉDITIONS*

Collection Motifs
dirigée par Pierre Bisiou

MOTIFS n°2

© 1999 Le Serpent à Plumes

Illustration de couverture : © Karen Petrossian,
Olivier Mazaud, Bernard Perchey

N° ISSN : 1251-6082
N° ISBN : 2-84261-152-7

Le Serpent à Plumes
20, rue des Petits-Champs - 75002 Paris
http://www.serpentaplumes.com

*J'invoque vos noms
mais je ne vous détourne pas
de votre chemin de morts.*

1
OÙ MIL NEUF CENT SOIXANTE-DIX-NEUF DEVINT UNE DATE IMPORTANTE DANS L'HISTOIRE DE LA PALÉONTOLOGIE HUMAINE

L A QUESTION de mes origines paternelles a été réglée une fois pour toutes par ma défunte mère. J'avais sept ans. Je troublais, en bon petit diable, la leçon de calcul du vieux père Anselme ; il piqua, comme seuls savent le faire les Blancs, une colère de braise. Il m'expulsa de la salle de classe et m'intima l'ordre de ne revenir qu'accompagné de mon père. Mon père ? Cet ordre me bouleversa. De père, je n'en avais jamais vu, jamais connu. Il n'y avait pas de père dans la maison des Morelli. Certes, il y avait eu le grand-père Astrel dont la photo trône au milieu du salon. Mais il était mort depuis belle lurette déjà. Puis, il y avait l'oncle Gabriel. Tante Hortense me faisait demander, chaque soir, dans ma prière au petit Jésus d'intercéder auprès des dragons bleus pour qu'il nous revienne bientôt. Et puis aussi, Sylvain, le plus jeune frère de ma mère. De père, il n'en a jamais été question. J'entrai, cet après-midi-là, en coup de vent à la maison, sans même réfléchir sur ce que ma présence à cette heure de la journée aurait d'insolite. Seule ma mère pouvait m'aider à résoudre — je n'employais pas ce mot, sans doute, à l'époque — cette énigme.

je ne m'arrêtai pas à l'appel d'Absalon qui bêchait les plates-bandes garnies de toutes sortes de fleurs. je traversai en courant le vestibule, sans même embrasser Eva Maria, grimpai quatre à quatre les marches de l'escalier et entrai en trombe, sans frapper, dans la chambre de ma mère. je lui exposai, sans ambages, mon égarement. « Ah ! Petit monstre, dit elle en éclatant de rire, tu veux savoir comment j'ai procédé pour t'avoir chez moi ? » Elle me passa la main dans les cheveux. Mon désarroi était total. Elle me prit dans ses bras et, sur un ton d'une extrême douceur, elle me conta : « Eh bien ! J'ai fait ce que font toutes les mamans. On prend un œuf pondu par une poule en bonne santé, de préférence le vendredi saint ; et là, on le tient sous son aisselle pendant neuf jours et neuf nuits, jusqu'à éclosion. La plupart du temps, ce n'est pas un poussin qui finit par en sortir, mais un petit animal difforme qui crie, qui râle, qui chiale. Alors, on le prend dans ses bras, on le nourrit avec des petits pots de crème de légumes et de fruits. Des fois, à nous arrive de laisser passer l'heure de son repas, on l'entend crier, crier, mais alors sans arrêt. Pour le faire taire, il faut vite lui donner à manger. Il s'endort ; on le dépose dans son nid ; il fait de beaux rêves… » Le lendemain, à l'heure folle et pure du petit matin, reposé, frais, je fus réveillé par une querelle de chats dans le tablier du toit, au-dessus de mon balcon toujours ouvert aux caresses du vieux vent Caraïbes.

Aujourd'hui, que reste-t-il de ma mère ? Cela fait tant d'années… Une odeur, un sourire, une photo ovale que je traîne dans mes poches, des riens qui m'obsèdent au point que je ne regarde même pas les filles que je croise. Elles me sont pour l'instant étrangères. Je ne suis pas né d'elles, ni elles de moi. Je ne les ai pas encore approchées ; je ne les ai pas encore nommées. Je n'ai pas non plus appris avec elles, pas encore, l'alphabet des langues parallèles, la géométrie des corps, les théorèmes tremblants du désir. J'ai dix-huit ans et je ne t'ai pas encore rencontrée, brebis ou gazelle. Pourtant, dans le creux de mon lit, je pourlèche le sel de ta peau couleur de sapotille, je tiens entre mes mains tes reins comme l'urne de l'offrande, perds mes lèvres au bord de ta lèvre unique, et comme Œdipe aux portes de Thèbes, j'arrive à percer le mystère de ton long couloir qui mène vers les rivages de la plus grande jouissance. J'ai dix-huit ans et je ne t'ai pas encore rencontrée. Que dois-je faire pour liquider cette obsession de ma mère ? Dois-je me mettre à forcer des verrous, à entrer dans mon passé par effraction, voleur de mon propre foyer ? Dois-je me mettre à fouiller des commodes, à visiter des armoires, à me pencher sur des coffres profonds ? Déplacer des photos, lire les pages de journal intime, pages jaunies, durcies par le temps ? Mais quand bien même je mettrais la maison à sac, à la recherche des traces, rubans, intimités, parfums de la défunte, quand bien même je scruterais tout ce qui avait pu être en contact avec sa peau, capelines remisées dans la penderie, nids tressés dans une paille de rêve où niche l'odeur de sa chevelure qui contenait peut-être les oiseaux de sa tête pleine d'oiseaux, arriverais-je à connaître la vérité, toute la vérité ? Ma mère, Noémie Morelli, mon obsession maladive ! L'eau noire de mes songes est nourrie d'elle. L'écume de mes jours goûte le sel des baisers qu'elle m'avait donnés. Janvier, elle faisait chaque jour du mois, un jour de l'an ; avril, elle me promenait en bougainvillées ; mai, alors là, les jolies chansons du mois de mai ; juin, j'étais un papillon de la Saint-Jean, éclaireur de l'été ; août immobile ou encore novembre, novembre de la Toussaint poisseuse. Je n'ai jamais aimé novembre, le mois le plus cruel de l'année. Tout commença un dimanche de novembre poisseux. J'avais rendez-vous, au bas de la ville, avec quelques copains, fidèles disciples d'Edmond Bernissart qui, ce jour-là, donnait une conférence. Pour nous, Edmond Bernissart était une sorte d'hurluberlu. La singularité de son sujet ne manquerait pas d'attirer une foule en mal d'amusement, en quête sempiternelle de divertissement dans le Trou-Bordet de l'Ennui.

Edmond Bernissart, cinquante-trois ans, avait la sécheresse d'un manche à balai. Autodidacte de renom, le docteur Bernissart, comme nous nous plaisions à l'appeler, avait consacré sa vie à l'étude de l'apparition, de l'écologie et de l'extinction de la race des iguanodons sur la surface de la terre. Il n'avait cure ni de l'élite ni de la masse, abstractions chères aux démagogues, selon lui. Apolitique de réputation, à vivait en dehors des contingences du social. Les problèmes économiques, sociaux, politiques, idéologiques ou épidermiques de ce pays glissaient sur lui comme de l'eau sur la peau d'un canard.

À l'abri des intempéries, Edmond Bernissart était persuadé que seule l'étude des vertébrés fossiles permettrait de percer le secret de cette page de la vie : celle de la progressive supplantation des reptiles par les mammifères dans la lutte pour la suprématie du monde terrien-animal. Les oiseaux, leurs cousins ovipares, eux, s'étaient attribué la possession du domaine aérien, rejoignant dans leur virtuosité d'acrobates les insectes, le pollen et le vent. Edmond Bernissart était un célibataire endurci depuis jadis ce matin d'avril — on tient ce récit de Bernissart lui-même — où il avait pris son courage à bras-le-corps, réussissant pour une fois à contrôler ses gestes gauches, manifestations d'une timidité légendaire, et avait franchi, d'un pas vif, la barrière d'une célèbre demeure de Trou- Bordet. Ah ! Il nous avait même décrit le propriétaire. Étrange oiseau : un cou grêle au bout duquel était attachée une tête osseuse au front rugueux et plissé ; des yeux de jais, un nez en bec d'aigle, des lèvres pincées dans une moue de dédain. Cet homme possédait le secret des mots corrosifs comme des gouttes de vitriol. Ce jour-là, il n'avait pas décollé son nez de son journal jusqu'à ce qu'il fût absolument certain que Bernissart ait exprimé jusqu'au bout ses intentions et volitions. Où voudrait-on qu'il trouve cintre pour le suspendre ? Oublierait-il qu'une fille de sa famille n'épouse pas un Bernissart, lors même qu'elle porterait un enfant ? Ajouter l'opprobre sociale à la souillure, ce serait boire la lie et le calice avec !

Edmond Bernissart était de ces hommes à qui la vie n'avait pas appris le bon usage des petits malheurs. Arrive une catastrophe et irrémédiablement, ils enfourchent les grands moyens. Au sortir de cet incident, Edmond Bernissart avait radié de sa vie tout projet d'union avec le sexe opposé. Il se réfugia dans ses livres, persuadé que le passage de la vie aquatique au règne terrestre, par l'acquisition de la tétrapodie et de la respiration aérienne, avait marqué une date importante et cruciale dans la vie de l'humanité. Du reste, affirmait-il, dans une large mesure, nous étions encore tributaires de cette forme larvaire de vie. En nous piaffent encore le premier matin du monde, la rosée de son avant-jour, la craquelure de l'ère des glaciers, le point de suture entre l'ombre et la clarté. Pour maître Bernissart, qu'on lui coupe sa main droite au besoin, l'espèce avait encore un long chemin à parcourir pour parvenir à l'âge de la maturité. Tout cela expliquait son parti pris de vivre en marge des courants d'idées et d'opinions qui ont balisé les deux dernières décennies. Il n'avait jamais voyagé. L'autre île, en face, constituait son unique horizon. L'œil usé par la fréquentation des livres anciens et des documents jaunis, l'échine courbée à force de s'être penché de nombreuses nuits à scruter les cartes spécialisées, il avait inlassablement pisté la trace et la répartition géographique des dinosauriens. Presque à l'automne de sa vie, il avait la sensation d'arriver au terme de ses recherches puisque, enfin, il croyait avoir percé le mystère de leur extinction. Dans l'œuvre symphonique de Beethoven, le stade ultime avait été l'avènement de la voix de l'Homme. Edmond Bernissart, lui, était travaillé par une inquiétude différente : et s'il n'y avait pas de stade ultime ? Dire que l'Homme représente le terme de l'évolution de sa lignée, ne serait-ce pas le fait d'un esprit étroitement insulaire ? La planète, après tout, n'est qu'une grande île. Comment peut-on attribuer à la petite destinée humaine une valeur universelle ?

Edmond Bernissart, maigre comme un clou, chercheur scrupuleux, posait comme une évidence que, sans faire crédit à l'hypothèse d'un premier ensemencement réalisé par un démiurge quelconque (ce que suggère l'universalité des principes de la physico-chimie), la vie serait apparue à divers moments dans d'autres sphères de ce vaste univers et qui sait quelle ascension vers la conscience elle a poursuivie dans ces aires encore inexplorées ? C'était donc là un grand problème. Il appartiendra aux générations futures de lever le voile sur ce mystère, aurait-il dit la veille même de sa conférence. En attendant, dans l'impossibilité où nous sommes de fléchir le cours du temps, il a eu, lui, Edmond Bernissart, le long de cette chienne de vie, bien de quoi s'enthousiasmer. Il ne nourrissait aucun espoir de grandeur et de richesse. Tout au plus espérait-il que son nom prenne place dans LE GRAND RÉPERTOIRE ILLUSTRÉ DE L'UNIVERS. Il pourrait ainsi survivre dans la mémoire des femmes et des hommes de bonne volonté. Juste récompense de ses efforts, légitime caution d'une vie d'ascétisme et de sécheresse. N'avait-il pas réussi à exhumer, récemment, dans le sud du pays, quelques spécimens d'iguanodons datant de plus loin que l'époque précolombienne ? Les formes étranges du passé de la vie ne témoignent-elles pas assez d'un nombre surprenant de pouvoirs ?

Par l'immensité des temps qu'ils représentent et leur signification quant à notre propre existence, ces lézards géants que nous révèle la paléontologie ne méritent-ils pas d'autre sentiment que notre indifférence et bien plus qu'un instant d'attention ? N'existe-t-il pas un rapport entre la vie des iguanodons et celle de ce peuple ? Les iguanodons ne constitueraient-ils pas un miroir réfracteur ? Aussi ne serait-il pas à souhaiter que les péripéties de leur évolution soient associées aux images de notre réalité, l'entraînement machinal à bouger, à parler, à déféquer, la survie de notre peuple acculé au dernier degré de la misère, ayant franchi un point de non-retour, Khmers fugitifs, boat-people ignorés, enfants vaincus par la famine, la diphtérie et la poliomyélite... Si cette conférence pouvait contribuer à éveiller en ceux qui n'en soupçonnaient ni l'intérêt ni l'économie le désir de travailler à l'avènement d'un monde meilleur, de rompre avec la course au bonheur matériel, pour s'élever, par la pensée, jusqu'à ce retour sur le chemin parcouru par la vie et, par là même, apprendre à en respecter les principes autant qu'à en découvrir la grandeur, alors lui, Edmond Bernissart, il pourrait mourir content, tourner la petite page de sa vie à lui, Edmond Bernissart, infime pet de l'Éternité, tout en étant conscient que rien ne vaut une vie, même si, mort, on est enseveli dans un tombeau dont la magnificence surpasse celle des sépulcres des pharaons.

Il était parvenu à cette conclusion, ce dimanche de novembre où il franchissait le seuil de cette salle gracieusement prêtée par les Pères salésiens pour prononcer la première et, qui sait, la dernière conférence sur l'« Extinction des dinosaures ». Edmond Bernissart se frottait les mains. Cette idée du parallèle entre l'évolution de l'espèce humaine et celle du destin d'un peuple, que la clarté de son exposé saurait susciter dans l'esprit de l'assistance, le réjouissait d'avance.

Novembre poisseux avait pris la place d'un octobre éreinté par le soleil. Dans cette salle exiguë qui ne pouvait en contenir que trois cents, mille personnes, lycéens, étudiants, chômeurs en quête de programme, femmes nubiles, dignité de mères de famille et mines constipées de pères grisonnants étaient réunies, tassées, entassées. La chaleur était suffocante.

Cinq heures sonnaient quand, avec une ponctualité d'horloge, maître Bernissart entra dans la salle paroissiale des Pères salésiens. C'était un dimanche poisseux de novembre, à cinq heures de l'après-midi. Salve d'applaudissements, sourires amusés et sceptiques, têtes hilares, sifflements admiratifs ou moqueurs l'accueillirent et quand il eut pris place sur l'estrade d'honneur, une femme en longue robe fleurie, parée comme une châsse, pomponnée, attifée, émergea des coulisses. Elle déclina pompeusement son titre : présidente de l'Association des scientifiques. Elle rappela l'extrême précarité du statut de la recherche en ces temps d'algèbre damné, dans un milieu où de telles actions sont perçues comme anachroniques. Elle égrena sèchement les principales étapes de la vie du docteur Bernissart. Puis, élevant, d'un ton plus haut, une voix fluette, elle déclara solennellement : « Maître Bernissart, vous avez la parole », mais ce célèbre lieu commun, cette formule millénairement consacrée ne semblant pas lui convenir, elle rectifia : « Que dis-je, maître, vous êtes la parole. »

Au fond de la salle, quelques lycéens, timidement, se sont mis à applaudir. Parmi eux, moi, Narcès Morelli. Je ne me doutais pas un seul instant qu'avant ma naissance Edmond Bernissart et la famille Morelli avaient été frappés par les antiques tabous du sang.

Le conférencier, contre la coutume, ne remercia pas la présidente pour sa présentation, ne souhaita pas la bienvenue au public et entra dans le vif du sujet : « Lorsque, au seuil du siècle dernier, Georges Cuvier publiait son mémorable ouvrage sur les "ossements fossiles", la paléontologie prenait naissance en tant que science digne de ce nom. Jusquelà empirique, elle entrait, avec l'anatomie comparée qui fut également création du génial naturaliste, dans une phase nouvelle, celle de l'étude rationnelle. Quoique, au sens le plus élevé, il ne se soit agi pourtant encore que de pure morphologie. Plus tard seulement, vint s'imposer l'idée d'Évolution, amenant des paléontologistes à rechercher les filiations entre les formes qu'ils décrivaient, en un mot à faire de la phylogénie. La Systématique devait s'en trouver considérablement enrichie et, en bien des points, précisée. C'est un des titres de gloire de la paléontologie d'avoir ouvert la voie à ce progrès. » Edmond Bernissart rappela brièvement les progrès réalisés par la paléontologie grâce à l'apport de différentes disciplines. Il ajouta que des esprits tels que Moseley, Dollo avaient fait resurgir le « monde perdu », pour employer l'expression de Conan Doyle, et il parla des dinosaures, espèce qui, selon lui, offrait l'un des meilleurs champs d'application de cette féconde méthode qu'est la paléontologie moderne. Il commença par préciser le vocabulaire : « On entend généralement par dinosaures ou dinosauriens, un ordre de reptiles terrestres ne renfermant que des formes éteintes, ayant vécu sur toute la terre ferme pendant la durée des temps secondaires et comprenant des animaux de toutes tailles, depuis quelques décimètres jusqu'à trente mètres de longueur. Très différents d'aspect les uns des autres, leurs caractères communs sont : un corps massif terminé par une longue queue et précédé ordinairement d'un long cou et d'une petite tête à cavité cérébrale très exiguë ; une colonne vertébrale à la fois solide et légère ; un sacrum à vertèbres nombreuses ; des membres postérieurs plus développés que les membres antérieurs ; des os à grandes cavités médullaires ; un bassin rappelant parfois celui des oiseaux avec lesquels les dinosaures présentent de nombreuses affinités. » Puis il évoqua les quatre groupes principaux de dinosaures : les carnivores, armés de dents et de griffes ; les herbivores, de taille plutôt gigantesque ; les bipèdes au bec corné et, enfin, les grandes têtes cornues. Une salve d'applaudissements salua chacune de ces descriptions.

Le public reconnaissait dans ces précisions laconiques certains grands commis de l'État, ministres en place depuis plus de deux décennies, fonctionnaires de la sécurité dans le déclin de l'âge certes, mais réputés pour leur doigté, leur savoir-faire dans le domaine de la corruption, de la torture et de l'assassinat. On se chuchotait des noms, des prénoms, des sobriquets. On s'interrogeait sur les véritables portées de ce discours apparemment scientifique. Bernissart était-il ou feignait-il d'être cet apolitique vivant en dehors des contingences du social ?

Edmond Bernissart, lui, continuait à parler avec sérénité de formes de vie éteintes depuis des millions d'années. Mais, plus il avançait, plus ses propos renvoyaient à l'actualité la plus immédiate. Cet homme qui semblait toute sa vie avoir vécu sourd (mais dans la surdité la plus totale) à la rumeur publique ne se doutait-il pas que celle-ci, dans son langage codé, se servait du mot dinosaure pour identifier les sbires d'un gouvernement en place depuis près d'un quart de siècle ? D'un gouvernement dont ils devaient assurer la pérennité, ce qui les obligeait à plonger leurs mains dans le sang, à abuser de la brutalité, à sombrer dans la barbarie ?

À Tête-Bœuf, ce dimanche après-midi d'une Toussaint gluante, l'auditorium des Pères salésiens craquait sous la multitude. La débâcle solaire colorait de violet les vitraux austères. Dans la salle, jupes fleuries et guayabelles aux doux coloris pullulaient. Toutes les couches sociales étaient représentées. Lamy Jambat exhibait, comme un cormoran, sa disgrâce d'ancien ministre au bras de Man Jambat, raide et pincée. Tout l'après-midi elle avait tenté désespérément d'apprivoiser ses formes aux rigueurs d'un corset qu'elle s'était procuré à crédit. La veille, ne l'avait-on point vue à l'heure même de la fermeture sortir du magasin La Belle Créole, affichant un optimisme délirant ? Trois jours avant l'événement les commerçants du bord de mer avaient déjà épuisé leur stock de sent-bon. Même les péquenots osseux récemment migrés promenaient fièrement leurs péquenotes, cheveux défrisés, mines éclatantes et peinturlurées de poudre Parami. La salle regorgeait de monde. On pouvait même remarquer des présences insolites dans un tel endroit : M. John Gleen, ambassadeur des États-Unis et son épouse, François Martin, attaché culturel et directeur de l'Institut français, Moshé Dachwig, consul d'Israël, André LaSource, chargé d'affaires du Canada pour les Antilles francophones avec siège à Trou-Bordet ; du beau monde, des autorités lourdes et moins lourdes. Cinq heures trente de l'après-midi. Ah ! Quel terrible cinq heures trente de l'après-midi ! Le conférencier, d'une voix maintenant passionnée, exaltée même, avançait allégrement dans son exposé. La salle, elle, retenait son souffle, indice d'une tension qui montait. Edmond Bernissart, pour qui la parole n'avait pas de secret, en cela la présidente avait eu bien raison, trouvait des expressions de plus en plus judicieuses pour exposer la problématique des phénomènes qui président aux variations de taille et de proportion des dinosaures connus. De l'assistance montaient des salves d'applaudissements accompagnées d'une rumeur sourde, semblable à celle, lointaine, de la mer. Cela faisait des années que l'éloquence, en cette ville, n'avait coulé d'un tel cru, à si grands flots. Selon les vieux, il fallait remonter aux années cinquante, fouiller dans la mémoire populaire pour retrouver un autre orateur capable de surpasser maître Bernissart. Il s'agissait d'un populiste de faubourg qui fut, à la suite de tractations indicibles, nommé président. Son mandat ne dura que le temps d'un cillement, l'espace d'une vingtaine de jours, dix-neuf pour être plus précis. Mais ceci est une autre histoire. Cet orateur de carrefour, grand palabreur s'il en fut, devenu député, maîtrisait la parole à un point tel qu'il était la terreur des ministres interpellés à la Chambre. On raconte même qu'une fois, dans un meeting populaire, une femme soulevée par la magie de ses mots, parturiente de son état, à terme, accoucha séance tenante entre deux respirations haletantes et un cri d'admiration. Qu'est-il devenu cet homme au verbe d'or ? On dit qu'il se fossilise doucement dans un suburb de New-York. Mais, ceci est une autre histoire.

Soudain, éclate un pétard suivi d'un cri : « Mort aux dinosaures ! » Des chaises se baladent à hauteur de tête, des balles sifflent. Deux ou trois diplomates sont bousculés ; des femmes enceintes piétinées. En ces temps où l'incroyable arrive chaque jour, les plus vieux, qui d'habitude affichent un sourire désabusé de joueurs qui ont déjà connu plusieurs guerres et plusieurs défaites, cette fois-ci ont peur. La mort rôde. Autant s'en aller tout de suite, déguerpir… Impossible de fuir. Des inconnus, mitraillette au poing, obstruent toutes les sorties. D'abord chuchotée, puis devenant clameur, la nouvelle circule dans l'auditorium où la foule est prisonnière : « Les dinosaures sont là ! » Un coup d'œil à l'estrade, Bernissart y gît poignardé en plein cœur. En ce dimanche de poisse, de la matraque et de la mort, Tête-Bœuf ne respire plus.

Ah ! Étrange destin d'un lieu ! Jadis, il y a aujourd'hui soixante mille cent quarante-cinq jours de cela, le dix-sept octobre mil huit cent six, tous les manuels d'histoire le confirment, à six cents mètres de Tête-Bœuf, à Pont-Rouge, mourait Jean-Jacques Dessalines, celui qui joua le rôle que l'on sait dans les fastes révolutionnaires. Ce jour-là, il avait appelé à son secours un certain Charlotin Marcadieu, vaillant colonel de son régiment, homme d'une fidélité exemplaire. Celui-ci se précipita de son propre cheval pour prêter renfort à l'empereur. Les deux hommes périrent sous une décharge tirée par les conspirateurs. Les récits des historiens, Thomas Madiou ou Beaubrun Ardoin, même s'ils ne s'entendent pas sur les détails et interprétations de cet événement, concordent sur un point : le fier et intrépide Dessalines une fois mort, plusieurs officiers en compagnie de qui il avait combattu pour conquérir l'indépendance tracèrent un funeste exemple sur son cadavre. Ils lui coupèrent les doigts pour voler les bagues de prix ; ils le dépouillèrent de ses vêtements ; ses armes, pistolets, sabre, poignards devinrent la proie des pillards. Le cadavre, par la suite, fut emporté en ville sur l'ordre du général Yayou et déposé sur la place d'Armes en face du palais du Gouvernement. Au cours de ce trajet d'une demi-lieue, le corps de Dessalines fut livré en pâture à ses ennemis qui accouraient de tous côtés. On lui porta des coups de sabre, on lui jeta des pierres. Ce corps inanimé, mutilé, percé de tant de coups, passoire, resta exposé sur cette place d'Armes jusque dans l'après-midi. Une femme noire, Défilée la Folle, gémissait, seule, auprès des restes du fondateur. Quand ils furent enlevés et portés, par ordre, au cimetière intérieur de la ville où on devait les inhumer, Défilée les y accompagna ; longtemps après, elle continua d'aller au cimetière jeter des fleurs sur cette fosse anonyme. Quelques années plus tard, une femme de haut rang, Mme Inginac, y fit élever, on n'a jamais su pourquoi, une modeste tombe sur laquelle on peut aujourd'hui encore lire cette épitaphe : CI-GÎT DESSALINES, MORT À QUARANTE-HUIT ANS. Étrange destin d'un heu ! Il n'y a pas longtemps, des baroudeurs ont ramené de la presqu'île du sud le cadavre d'Alain Laraque, un des douze guérilleros, tous fauchés dans la fleur de l'âge. Sous une enseigne, BIENVENUE AU SOLEIL, son corps resta trois jours, abandonné à la pâture des mouches et des fournis. Une larme de douleur pour l'empereur ! Une larme d'admiration pour Défilée la Folle ! Une larme de reconnaissance pour Mme Inginac ! Une larme de dépit pour Alain Laraque Une larme de rage pour Edmond Bernissart !

Novembre de désastre ! Tête-Bœuf de malheur ! La tyrannie est sombre, monotone et triste. Après une période de répit, les plus optimistes parlaient de « libéralisation », la tyrannie pesait à nouveau, de tout son poids, sur Trou-Bordet. La main qui a frappé ce soir-là à Tête-Bœuf était encore plus terrible que celle de Tony Brizo, l'ancien commandant de Fort-Touron qui construisit sa légende sur la torture, le sadisme et le sang. Se peut-il que ce pays soit à jamais lancé dans l'orbite de la violence ? Se peut-il qu'il ne soit plus jamais possible que, dans ce pays, la vie humaine soit respectée, appréciée, estimée ? Narcès Morelli était submergé d'angoisse. Il réussit à se frayer un chemin dans la panique et arriva, hors d'haleine, à sortir par le grand portail, sur le devant de la cour.

Dehors, la rue était interdite à la circulation. Il y avait ces énormes camions de l'armée et des centaines de miliciens bardés de fusils et de mitrailleuses. Une vieille dame, au bord de l'hystérie, s'effondra dans les bras de Narcès Morelli : « Ne restons pas là, mon fils, on va nous emmener tous. » Narcès Morelli voyait tous ces camions fermés qui descendaient la rue, s'éloignaient vers l'ouest, alors il se mit à marcher à grands pas. Il marche à pas pressés vers sa demeure, celle, séculaire, de ses ancêtres, les Morelli. Là, au moins, il sera en sécurité, au milieu de ses tantes, en compagnie d'Absalon. Les images qu'il a vu défiler cet après-midi éveillent, en lui, d'autres images. Cet après-midi de novembre poisseux lui rappelle un autre après-midi de novembre poisseux : place des Héros de l'Indépendance, un gibet, un corps de femme se balançant lentement au milieu d'insultes obscènes, de cris de haine et de crachats ; la poigne ferme d'Absalon, retenant un désir éperdu de fuite de ce garçonnet à culottes courtes. Noémie Morelli a expiré face aux tribunes du Champ-de-Mars où pullulaient jupes fleuries et guayabelles aux doux coloris. Absalon dit qu'il faut que ces images s'incrustent dans sa mémoire. Ce souvenir brumeux remonte. La mort de Bernissart évoque une autre mort. Il marche à pas pressés vers sa demeure. Une larme de miséricorde pour Noémie Morelli !

Que puis-je dire de ce pays ? Que puis-je dire de cette ville ? Je suis né et j'ai grandi dans cette ville vomie par la mer, coincée par la montagne. Que sais-je de la montagne, sinon son dos de rat pelé, galeux, sa face ravinée ? Aujourd'hui, tel un mendiant assis à l'ombre d'un palmier moribond, le long d'un chemin qui semble ne devoir mener nulle part, la main tendue, j'implore les passants, avec cette même rengaine de ma mémoire perdue : que me soit faite la charité de mon passé, cela vous sera rendu plus tard ! Perdu dans les abysses de mes paysages intérieurs, je me suis assigné à moi-même cette exploration muette de mon passé et celui de mon pays. Je tends mes mains vides. Pour toute richesse, le silence. Un silence peuplé de signes, signes que je triture inlassablement, avec l'espoir, le sale et ferme petit espoir, de trouver le texte original que je sais enfoui dans les mâchicoulis de ma mémoire. La mort de Bernissart vient de m'ouvrir l'entrée d'une forêt. Déjà les formes se dessinent et je commence à voir, à savoir : je traverse la ville, le soleil de novembre. Je m'apprête à affronter les terreurs de la nuit, nuit de gypse, nuit de novembre avec ses dents de gypse. Je sais. Ce pays mettra une éternité à se relever de cette nuit, veines nues aux quatre points cardinaux. Je cours dans cette ville, croisant des hommes et des femmes qui, ce soir, un soir de plus, se coucheront la conscience vacillante. Ils garderont les yeux large ouverts sur l'horreur de la nuit. Ces hommes et ces femmes se taisent face à l'arbitraire, à la terreur des commandos aveugles, des polices parallèles et de leurs spadassins fous. Je traverse d'un pas pressé la ville, règne de l'insensé. Paysage de montagne et de mer, horizon de pin et de plaine. On n'aura jamais fini de la décrire. Ville de la basilique unique, du grand gibet et de la boue ! Cette ville dégouline vers la mer comme un abcès. Ville de l'incandescence comme feu d'épines en plein vent, paroxysme jamais atteint de merveilles et de terreurs ! Ils t'ont appelée Trou-Bordet, mais tu es également Trou-aux-Vices, Trou-aux-Assassins, Trou-aux-Crimes. Ville de sang et d'ordures ! Ville aux aguets ! Ville de bitume et de trou ! On n'aura jamais fini de te décrire. Acacias et bougainvillées, arbres assoiffés et squelettiques noircis par la fumée des trains de canne à sucre. Ah ! Cette ville, on n'aura jamais fini de la décrire ! Surtout ce côté-ci de la ville : entassement de baraques et de bicoques, amalgame de bois, de tôles et de joncs tressés, fouillis de gîtes anarchiquement élevés, tant au fond des ravines que sur les pentes abruptes. Ici, ils ont pris place au-dessus de la fétidité d'un égout, là, à cheval sur la croupe d'un fossé. Ah ! Ce côté-ci de la ville, avec ses venelles tortueuses, malodorantes, où s'entassent des flopées d'êtres vivants et grouillants : familles de dix enfants, opulentes mamas, chiens fouineurs, dévoreurs de pierres, chats de gouttière, petites vieilles chiffonnées, cocotiers drapés de noir, piaulement de morveux, dindons mouillés, poules de Guinée, coqs de basse-cour, cochons, vaches, chèvres et moutons, bêtes à bon Dieu en ce pays, dans la splendeur d'un dimanche de novembre à son couchant, novembre poisseux avec ses dents de gypse et la misère.

2
TROIS ÉCOLES
COMME DES FACTIONS RANGÉES
S'AFFRONTENT SUR L'ÉTRANGE SOUDURE
ENTRE LA FAMILLE MORELLI
ET ABSALON

*F*AITES le tour du voisinage et renseignez-vous sur cette étrange et très vieille maison située à flanc de montagne en contre-plongée de la route. Les langues sont les archives de ce pays. Mémorialistes chevronnées, elles savent que cette maison date de la première colonisation. Les Morelli sont venus dans l'île peu après l'arrivée de Christophe Colomb. La culture du tabac, du coton, de l'indigo, du cacao ainsi que l'élevage avaient poussé colons et marchands espagnols à rechercher une main-d'œuvre où ils pouvaient la trouver. En Europe, le recrutement s'est effectué d'abord parmi les vagabonds, les mendiants, les oisifs, les coquins, les repris de justice, les marginaux et non-conformistes de tous crins et poils. Ensuite, vinrent les artisans ruinés, tonneliers, maçons, charpentiers ; des chrétiens de fraîche date et circoncis, menacés de bannissement, étaient drainés, eux aussi, vers la nouvelle colonie. L'ancêtre Morelli, modeste cordonnier qui ne menait pas large sur la place de Valence, faisait partie de ce dernier contingent attiré par le salaire et la terre. Démétrius Morelli débarqua dans l'île comme « engagé » : il avait loué pour trente-six mois ses services à un colon déjà établi. Cette période achevée, il s'installa comme gérant d'une plantation sucrière. Quelque temps plus tard, quand les Espagnols cédèrent le tiers occidental de l'île aux Français, il fut nommé commandant de la place de Trou-Bordet.

Les ancêtres Morelli, comme tous les cadres et administrateurs coloniaux de l'époque, se sont sali les mains dans la traite. Grâce à elle, ils édifièrent une fabuleuse fortune dont le seul vestige demeure cette maison, l'une des rares qui témoignent du passage des Espagnols de ce côté-ci de l'île. Cette résidence garde, aujourd'hui encore, des traces de l'art colonial au service d'une société rapidement enrichie. Son exubérance décorative s'observe d'autant plus manifestement qu'aucune tradition postérieure n'est venue la banaliser.

Une muraille de deux mètres de hauteur cerne le domaine. Elle se singularise par la massivité de ses pierres grossièrement taillées et par les tessons de bouteille qui l'ornent dans sa partie supérieure. L'entrée, unique ouverture sur le monde extérieur, est gardée par une barrière en fer forgé. Celle-ci, surmontée d'une clochette en forme de hibou, est soigneusement couverte de motifs ornementaux qui représentent des branches et des feuilles d'une espèce de plante inconnue dans ces contrées. La classique feuille d'acanthe, sous le soleil des tropiques, a perdu beaucoup de sa sagesse. Elle se roule, se plie, s'agite en tout sens sous les effets d'une invisible tempête, celle-là même qui déchire, en miettes-morceaux, toitures et fenêtres des maisons et des chaumières, celle-là même qui chaparde voiles et cheveux aux nymphes et aux déesses. Cette barrière franchie, vous voilà dans la cour pavée de pierres mangées. Elle a ses dolmens et ses menhirs. Elle a ses arcades espagnoles surplombant les ruines d'un puits artésien. Elle a ses énormes poteries en terre cuite. Elle a son petit bassin toujours vert de limon, petit bassin de rocailles sous un rouge cerisier, entre la grille et la maison. Elle a sa bougainvillée des voltiges, son jasmin où-si-je-me cache-tu-ne-me-trouveras-jamais, une rigole avec une miniature de moulin et d'autres arbres étranges, exotiques, plantés là depuis plusieurs fournées de Morelli pour distraire la langueur **de** leurs femmes lascives, rêveuses et tristes. La pergola italienne n'a pas été oubliée. Elle brandit sur ses poutrelles équarries et vrillées une vigne feuillée aux grappes aoûtées. Massives, monumentales, douze colonnes en bois d'ébène, peintes de dorures et d'armures dans leurs creux, de pampres dans leurs méplats, conduisent vers la maison. On dit qu'il est impossible de visiter le sous-sol car la dernière fois que la porte, flanquée d'un mascaron en cuivre, a été ouverte, il en est sorti, par bandes serrées, des aranéides, des scorpions et des petites vipères, cheminant, tranquilles, vers la lumière du Jour.

Le rez-de-chaussée : une vaste salle couverte de boiseries et de stuc. Dans les angles, des groupes d'archanges traversés par un unique mouvement de lévitation s'élancent dans un envol de draperies, tandis que d'habiles trompe-l'œil semblent ouvrir le plafond sur un ciel peuplé d'allégories. Ce vestibule débouche sur un escalier monumental, renommé à Trou-Bordet pour son pilastre, sa rampe et ses volutes.

À droite, l'enfilade du salon et de la galerie offre aux regards une profusion de tableaux à double encadrement en bois sculpté, de miroirs vénitiens en verre polychrome. Au centre de la pièce, cinq sièges, des fauteuils en chêne massif à haut dossier, garnis de cuir repoussé, sont assemblés autour d'une table basse à piétement de bois doré supportant un plateau de porphyre poli. L'ébéniste semble s'être complu à souligner la structure de son meuble. Ah ! Quel meuble paradoxal en vérité, à l'utilité bien problématique puisque sa principale raison d'être semble résider dans le côté décoratif de son support ! Quelle débauche de courbes, d'entrelacs ! Les pieds représentent tantôt des dauphins, tantôt des sirènes. Des amours courent sur l'entretoise, font la nique aux guirlandes de fleurs, aux branchages qui se croisent et s'entremêlent. L'observateur perplexe ne manquera pas de se demander comment ce grand vase en faïence décoré d'êtres grotesques, mi-humains mi-animaux, s'est retrouvé si miraculeusement au centre de la table. Insolite vase en faïence ! Le bas est décoré de dessins géométriques symbolisant des soleils, des croix ou des epsilons tandis que le cul est supporté par un étrange composite de corps de mammifères marins coiffés de têtes d'oiseaux. La hanche présente des motifs extravagants : coursiers géants accouplés avec des diablotins, femmes-paons faisant la roue devant un flamant rose, dragons en chute libre, têtes humaines coupées et serties dans la mâchoire d'une chauve-souris géante. Le col, travaillé en relief, est animé par une multiplicité de nymphes borgnes jouant de la flûte. Les deux anses forment une chaîne d'acrobates. L'ensemble, peint de couleurs violentes, capte la lumière d'où qu'elle vienne et, ainsi, éclaire tout le pourtour de la salle. Juste au-dessus, élément indispensable dans une pièce au plafond si élevé, le lustre. Il est fait en bronze doré et possède plusieurs étages de bougies portées par des branches richement ornées et recourbées auxquelles sont accrochées des pendeloques de verre. Elles transforment la suspension en une grappe scintillante, répercutant ainsi dans l'ensemble de la pièce la clarté de toutes les bougies. Le plafond, aussi, doit être remarqué. Les nervures de la voûte tombent trois à trois sur les pilastres des murailles latérales de manière à donner l'illusion d'une légère saillie. Fixés à même le mur, douze curieux flambeaux en bronze et cristal de roche, répartis sur le pourtour de la pièce, sont munis chacun d'une large plaque en argent. Ces plaques sont placées de façon qu'elles puissent, elles aussi, réfracter sous des angles divers l'ensemble de l'éclairage. Au fond de la salle et à gauche, un minuscule escalier en spirale conduit à une mezzanine au milieu de laquelle trône un lit à haut chevet en palissandre. Porté par douze colonnes torsadées, le ciel du lit présente une ornementation austère dont il faut surtout remarquer le double mouvement : celui des cariatides alternant avec celui des atlantes. À côté, une table de nuit, également en palissandre, marquetée sur toutes ses faces, repose sur quatre bustes de femmes. En inclinant légèrement la tête sur l'épaule gauche, on peut apercevoir, dans l'unique miroir qui orne le mur tapissé en point de croix au motif de canards sauvages, le cabinet de toilette dans lequel le meuble et sa console sont en figuier d'Inde richement incrusté de nacre et d'argent.

La race des Morelli, métèques de souche douteuse, a fait pendant longtemps la loi dans ce pays. Quatre siècles d'histoire les ont vus naître, grandir et mourir dans ce pays. Ils ont, au long des années, au fil des générations, vécu tantôt repliés sur eux-mêmes, tantôt ouverts au monde extérieur : nombreux mariages avec des Anglaises de Londres, des Françaises de Paris, des Italiennes de Vénétie, mais à quelques reprises, ils ont également pratiqué la consanguinité, la miscégénation avec douleur, il faut le dire, la douleur de la mésalliance sous la pression du fait accompli. Douces couches, point de querelles. Nul ne l'ignore, les parturitions heureuses renvoient à plus tard les règlements de comptes et transcendent les tabous du sang. Quatre siècles d'histoire ont vu naître, grandir et mourir les Morelli dans cette demeure restaurée sous les deux Empire et réaménagée sous l'occupation américaine pour répondre aux besoins et commodités de la vie contemporaine. L'œil avisé, aujourd'hui, peut avoir du mal à démêler les influences européennes des apports indigènes car architectes et artistes, à travers les ans, n'ont pas hésité à superposer et à mêler mosaïques, volutes et torsades dans un inextricable enchevêtrement de formes, de motifs et de couleurs. Il en est résulté, ici et là, des sculptures exubérantes et fantastiques auprès desquelles le baroque classique paraît un style calme et plat.

À travers ces différences de formes, ce foisonnement d'inspirations, cette débauche d'extravagances qui permettent de regrouper des styles aussi variés et de les caractériser, travaille, à n'en point douter, une volonté plus ou moins affirmée d'éblouir, une recherche de l'effet spectaculaire. Le Temps, comme Janus, est un dieu à plusieurs visages. Guide des flux, des piétinements et des reflux, maître des accouplements, des gestations et des parturitions, le Temps est une porte d'entrée, un passage et une clôture. Visage de l'avenir, visage du présent, visage chargé, ridé ; aussi arrive-t-il facilement, grâce à tous ces visages, à déjouer même les pièges qu'il tend inconsciemment à lui-même. Omniprésent, le Temps chasse les vampires nocturnes ; il provoque jaillissement de source, eau chaude et sulfureuse ; il dresse sur sa table, la Table du Temps, des mets de Soleil et d'Éternité. Hermaphrodite, le Temps est seul responsable si, aujourd'hui, à travers les chutes successives de gouvernement, à travers la splendeur et la décadence des Morelli, cette demeure est devenue ce rébus de pierres, de motifs bizarres, de hiéroglyphes quasi indéchiffrables...

Essoufflé, Narcès Morelli suait à grosses gouttes. Il venait de traverser la moitié de Trou-Bordet. Aujourd'hui, il n'a pas eu le temps de voir ces corps consumés par la faim, ces visages de cendre au regard vide, ces membres grêles et curieux comme des pattes d'échassier. Ils sont là pourtant, comme à l'ordinaire par centaines, occupant les galeries du bord de mer, les corridors du portail Saint-Joseph, les bicoques de la cour Calvaire, car Trou-Bordet de ce côté-ci de la ville ressemble à une immense cour des miracles. Ceux qui habitent ici sont des arrivés de fraîche date, des paysans chassés de leurs champs de canne et de riz, épouvantés par les pillages et les massacres. Ils sont venus de très loin, du pays profond, et passent maintenant leurs journées et leurs nuits couchés dans la poussière, en des endroits si exigus qu'ils sont obligés de se relayer pour dormir. Ils n'ont même plus la force de se lever. Narcès Morelli n'a pas eu le temps non plus de voir les enfants, au visage creux de vieillards décolorés, cassants, la peau rêche, abandonnés à leur sort, livrés à la solitude et à la mort. Ce côté-ci de Trou-Bordet, un signe de détresse totale, l'icône même de la misère. Va te rhabiller, jeune homme, le problème de ce pays n'est pas, n'a jamais été la misère ! Ainsi parlait Absalon, mon ami Absalon.

« Absalon, fis-je ce soir-là au milieu de mes larmes, dis-moi la vérité, comme tu me l'as souvent promis. Brise aujourd'hui ce monde des apparences. Dévoile-moi la vérité. »

Absalon, acte de naissance à l'appui, c'est Absalon Langommier. Mais en réalité, c'est l'Absalon des Morelli. Quelle nation que celle des Morelli ! Chez elle, l'accumulation du capital avait des sources tellement impures, tellement souillées que les Morelli sont craints de tous, y compris même des chefs d'État qui, successivement, ont gouverné depuis le siècle dernier. Les langues, véritables archives de ce pays, s'accordent pour affirmer que cette maison a, de tout temps, abrité une célèbre famille de loups-garous. À l'unanimité, elles racontent, sous la foi du serment, la foudre me foudroie si je mens, que depuis les origines, les Morelli ont lié un pacte avec Lucifer. Elles chuchotent que l'ancêtre Démétrius Morelli, déjà en Espagne, n'était pas « sain et sauf ». Il avait eu, dans sa jeunesse, quelques désagréments avec l'Inquisition pour pratique cabalistique. Quant à son fils Juan Morelli, il pouvait marcher les jours de grandes pluies sous un fil de fer sans être mouillé. Joseph Morelli, le fils unique de Juan, salira ses mains jusqu'au coude dans le commerce illicite des chairs humaines. Il fut l'objet d'un scandale inoubliable, l'année où vint au monde Mario Morelli. On raconte que ce dernier, pourtant personne ne l'a jamais vu, naquit vieillard et ne devint enfant qu'au fur et à mesure qu'il grandissait. Pour mourir, il dut entrer de nouveau dans le ventre de sa mère. Il en ressortit neuf mois plus tard sous le visage d'Antonio Morelli avec trente-deux dents dont une en or. Les langues bifides rappellent la vie de Ruth Morelli, surnommée la femme-vautour, à cause de cet oiseau rapace, nerveux mais immobile, au bec crochu, qu'elle tenait toujours perché sur son poing ganté de blanc. Ces mêmes langues gardent une impénétrable discrétion sur Nicolas Morelli, de peur qu'en mentionnant son nom on ne le détourne de son chemin de mort. Par contre, elles sont disertes et savantes en ce qui concerne la génération d'après. Elles rappellent, avec éloquence, qu'elle comptait trois Morelli, des triplets dont deux, Fito et Fritz, moururent en dix-huit cent quatre-vingt-trois de la peste. Quant au troisième, Paracelse Morelli, le père d'Astrel, il avait, dit-on, cocu veinard, la spécialité de changer la merde en or. Ainsi s'expliquait la fortune fabuleuse de ce fils chétif qui n'avait d'autre emploi que de traîner sa vie dans les bars du bord de mer. Quand il lui arrivait de ne pas être ivre, il servait de scribe à quelques paysans qui voulaient protéger leur droit de propriété et de fermage. Toutes les langues affirment tenir la somme de ces renseignements et beaucoup d'autres qu'elles n'ont pas le droit de répéter, même sous le coup de la torture, de leur mère, de leur père, de leurs grands-parents, hommes et femmes de foi et de robuste santé mentale. Toutes ponctuent la fin de leur récit : le crime se paie jusqu'à la quatrième génération et la justice divine, mon fils, montre toujours le bout de son épée ! Malheur aux imprudents et incrédules qui d'aventure se risqueraient dans les parages de la demeure des Morelli, les douze coups de minuit sonnés.

Quand ces rumeurs venaient mourir aux oreilles des Morelli, les femmes plus laconiques faisaient une lippe de dégoût et déclaraient solennellement qu'en aucun cas elles ne s'abaisseraient à bailler des pantalons aux chiens. Les hommes, eux, légèrement plus bavards, s'exprimaient par sentences : le chien aboie, la caravane passe ; reçois dans ton salon le plus misérable des misérables de ce pays de mendiants, aussitôt il se comportera avec arrogance et se dirigera vers ta chambre à coucher ; ne leur fais pas l'aumône d'un regard, mon fils, ce sont des gens sans importance...

« Absalon, demanda ce soir-là Narcès Morelli au milieu de ses larmes, dis-moi la vérité, comme tu me l'as souvent promis ! »

Absalon, c'est Absalon Langommier, acte de naissance à l'appui. Évidemment, cela n'offre aucune garantie de son identité. N'a-t-on pas déjà vu un citoyen de ce pays se présenter à un guichet d'American Life Insurance pour réclamer de son vivant le montant d'indemnités que ses héritiers devraient percevoir au cas où il lui arriverait malheur ? Et comme l'agent d'assurances lui faisait comprendre qu'il ne pouvait percevoir un rond qu'en cas de mort certaine et, par-dessus le marché, en présentant un acte de décès dûment authentifié, l'individu, avant de claquer les talons, promit à l'agent d'assurances qu'il lui porterait ce papier lundi matin dès l'ouverture des bureaux. Il n'aurait pas le temps, en cette fin d'après-midi du vendredi, de régler cette petite formalité. Ainsi donc, les pièces d'identité étant éphémères, aussi incertaines que la réalité géographique de ce morceau des Tropiques, Absalon Langommier, cela ne veut rien dire et cela veut tout dire. Les gens férus d'arbres généalogiques et qui, de ce fait, font métier de retracer les ancêtres des individus, attestent, sous la foi du serment, le lien de parenté directe et absolue d'Absalon avec le célèbre Antoine Langommier. Les vieux ont souvenance des récits prodigieux de ce voyant extralucide qui a bel et bien vécu, foi de leurs grands-pères, dans les temps les plus reculés, quelque part dans le sud de l'île. La mémoire populaire, pour consacrer ses exploits de visionnaire, les a hissés au rang de proverbes. Il n'est point un événement de la vie nationale qui n'ait été prédit des années auparavant par Antoine Langommier : la mort de l'empereur, l'incendie du Palais, l'arrivée des Blancs américains, la cascade des naissances. Antoine Langommier, à lui seul, a fondé scientifiquement la valeur prémonitoire des rêves. Si cela est vrai, on peut comprendre pourquoi l'évocation du nom de Langommier dans une conversation populaire inspire honneur et respect. C'est souvent l'argument suprême : ce que je vous dis là, Antoine Langommier lui-même ne l'avait pas vu. Cette phrase peut en boucher un coin à l'interlocuteur le plus têtu qui n'aura, l'instant d'après, d'autre refuge que le silence.

Chez Morelli, le domestique s'est toujours appelé Absalon. Dans son code génétique circulent des grains de science et de sagesse, des gènes de sens et de connaissance de la vie déposés par l'aïeul Antoine Langommier. Il est la mémoire de la famille Morelli. Il lui est soudé par un nœud aussi difficile à défaire que les pactes du sang. Les langues de la ville les plus versées dans l'herméneutique du soupçon n'arrivent pas à s'entendre sur une explication unique de cette soudure. Trois siècles, trois écoles, comme si la fin d'une ère se devait d'être marquée par une hypothèse nouvelle qui, sans faire disparaître l'ancienne, se greffait à elle, ajoutant au mystère qui entourait la famille Morelli. Une première école, remontant au XVIIIe siècle, fait reposer l'explication de la soudure Morelli/Absalon sur une hypothèse d'homosexualité. Les tenants de cette école ont pour siège un quotidien de la rue du Centre, fréquenté de toute éternité par des intellectuels paumés, des avocaillons, des chômeurs, des grappilleurs, des marxistes lunatiques et constipés. Cette thèse est également défendue par des libertaires, des lesbiennes clandestines, des homosexuels honteux. Ces derniers croient avoir trouvé dans la vie d'Antonio Morelli, le bel Antoine, des faits et détails qui témoigneraient d'une filiation et d'un « modèle premier » dans une société où la répression quadrille le sol et le sous-sol du corps tout entier. En effet, Antoine Morelli naquit en 1720. Dans la Caraïbe des splendeurs, il mena très jeune une vie de débauche. À l'âge de vingt-cinq ans, il partit pour l'Europe où il séjourna dans les grandes capitales. Ce long séjour, loin de l'île de l'épice, de l'indigo et du coton, usera son visage, blanchira ses cheveux et inscrira quelques rides au coin de ses narines. Il reviendra à Trou-Bordet en 1765. À peine débarqué, la nouvelle circula dans la ville comme une traînée de poudre : les alcools et les fines, les vagins et les bars n'avaient aucun secret pour Antonio, don Antonio Morelli. Il avait percé les mystères reliés à ces lieux, à ces saveurs et parfums. À quarante-cinq ans, chargé de plus de souvenirs que s'il avait mille ans, usé, mésusé, désabusé, Antonio Morelli ne s'était alors plus intéressé aux femmes. Il ne lui restait que les hommes. Absalon aurait été le premier, l'amant fidèle.

À la vérité, argue la seconde école, Antonio Morelli, quand il revint d'Europe, trouva l'île en pleine ébullition. Au-devant de la scène, sous les pleins feux de la rampe, l'épineuse question agraire. D'inquiétantes jacqueries larvées menaçaient les privilégiés, de toutes couleurs, qui commençaient à mesurer, pour un jour prochain, le danger. Cascades d'événements complexes, de révoltes d'esclaves travaillés par les « marrons ». Dans les ateliers, il était impossible de tenir en respect les cultivateurs réfractaires à un système oppressif. Ils occupaient toutes les brèches ouvertes par la carence de l'autorité, le désordre administratif, le pourrissement des contradictions. Le jeu confus des rivalités politiques s'étalait. Une parole de gronde-ment social s'exprimait à fleur de peau : « L'on ne nous paie pas bien ce qui nous revient des denrées que nous produisons ; l'on nous force à donner pour rien nos poules, nos cochons ; l'on nous viole nos femmes et nos filles et, si nous voulons nous plaindre, on nous fait arrêter par la police et on nous met en prison sans manger et, encore, il faut que nous payions pour en sortir… »

Ces paroles chatouillaient les oreilles d'Antonio Morelli. Malgré une vie de débauche et la quête active des plaisirs faciles, il avait quand même été travaillé par les idées du siècle des Lumières. Il eut des velléités d'engagement social et politique. Là, il se heurta à une méfiance coriace. Des leaders populaires, Pinchinnat et Rigaud, insinuèrent dans la population noire que les Blancs nouvellement arrivés d'Europe n'étaient revenus que pour les remettre aux fers. Il était temps de les chasser. Les hommes de couleur et les Noirs étaient les vrais habitants, les vrais propriétaires des colonies. Tout leur appartenait. Les Blancs devaient être exterminés. À un moment, Antonio Morelli songea à s'engager dans l'armée révolutionnaire. Mais le chef, homme de rouerie à réputation d'opportuniste, s'apprêtait à donner un coup décisif à la métropole. Ce geste le placerait arbitre souverain des destinées de la colonie. Dans cet enjeu politique, un petit Blanc comme Antonio Morelli, ce bellâtre, n'était d'aucune utilité. Antonio Morelli passa de nombreuses années à compter dans l'ombre ses partisans. Il supputait ses chances d'être utile, de servir dans une société où la violence pouvait d'un moment à l'autre arborer un visage de glaive. Ruiné physiquement par une vie de débauche, Antonio Morelli comprit très vite qu'il lui fallait abandonner la scène. Il s'enferma alors dans ses souvenirs avec Absalon, le fidèle Absalon.

Absalon n'a jamais quitté Trou-Bordet. À force d'écouter les récits de voyage faits de façon lancinante, obsédante, répétitive par Antonio Morelli, il a maintenant des souvenirs de bordels, de femmes-juments, de parties de cartes mémorables, de châteaux en Espagne, de comtesses nymphomanes. Pris dans ce réseau d'occupations et de préoccupations, Antonio Morelli avait oublié de donner à sa famille un héritier qui assurerait sur cette terre la pérennité des Morelli.

Ruth Morelli, sœur cadette d'Antonio Morelli, dont on disait le vagin cousu et tapissé de fils d'araignée, rumeur tenace qui avait fait le tour de l'île, n'avait pas, la cinquantaine proche, trouvé chaussure à son pied, malgré sa légendaire beauté. À la surprise hébétée de ses proches, Ruth Morelli mit au monde, au sortir d'une nuit agitée de novembre poisseux, un fils qu'on se dépêcha de déclarer sous le nom de Nicolas Morelli. L'hypothèse de l'inceste ayant été écartée d'un revers de main, il ne restait qu'Absalon. Nicolas serait le fils d'Absalon. De là la soudure, une pièce d'acier : la consanguinité. Les tenants de cette école ? La haute bourgeoisie, l'intermédiaire, la compradore, celle qui représente le grand capital, les monopoles, celle qui travaille pour le département d'État, celle qui a partie liée avec les comptoirs des grandes métropoles pour l'écoulement du café, du sucre et du sisal. La vie de Nicolas Morelli n'a point permis que cette thèse soit édulcorée ni frappée de caducité. Au contraire, il semble avoir tout fait pour passer, aux yeux de la bourgeoisie, pour un dégénéré. Jeune, il dénonça l'exploitation des Noirs et contribua à la grande trouée de 1804. Dessalines s'en est souvenu au moment du massacre des Blancs. Après la mort de l'empereur, il mit sur la sellette le général Borgella, détenteur de l'habitation Custine : plus de deux mille carreaux de terres, fruit de rapines et de spoliations des terres du Domaine national. En 1808, Nicolas Morelli dénoncera à la face de la nation le président Alexandre

Pétion, lui-même propriétaire de trois grandes habitations sucrières, Volant-le-Thor, Rocheblanche et Momance. Ce fut au premier rang qu'on rencontra Nicolas Morelli condamnant les latifundia, lors de la visite de Simon Bolivar en 1816. Alexandre Pétion, équilibriste connu, gouverna ce pays dans une sorte de transaction permanente entre la nécessité pour l'aristocratie de conserver ses avantages et la pression constante de la paysannerie ayant pour leader Nicolas Morelli. Le fait est connu des historiens. Ce fut lui l'instigateur de la fameuse loi du vingt avril dix-huit cent sept qui reconnut aux cultivateurs la jouissance de places à vivre, réparties équitablement entre chaque famille. Mais l'année suivante, les pouvoirs publics, prétextant que beaucoup de cultivateurs attachés aux habitations abandonnaient la culture des terres pour faire la coupe des bois jaunes de teinture, du gayac et du campêche, rétablirent la grande propriété. En 1825, Nicolas Morelli, journaliste et polémiste, se désolidarisera des conquêtes belliqueuses de Boyer. Il enquêtera publiquement sur les *counouques* dans lesquelles était parquée la majorité des paysans émigrés vers les villes. Il dénoncera le paternalisme, la mystification de l'opération cadastre. Dans le conflit fondamental des denrées et des vivres, il prendra, une fois de plus, position au côté des petits propriétaires. Il se portera à la défense des Jupiter Taco, des Alexandre Lespiègle, des Pierrot Patience qui luttaient avec leurs ongles contre les grands propriétaires et le haut clergé, prédateurs des meilleures terres. Nicolas Morelli avait dédié sa vie à ce combat. Dix-huit cent quarante couronnera ses efforts. Une crise générale, cristallisation de toutes les contradictions sociales et politiques, vit germer comme des fèves de soja les quelques grains de subversion plantés dans cette société. Évoquer la mémoire de Nicolas Morelli, c'est rappeler dans un contexte de répression, d'incendie, de tremblement de terre, des paysans en haillons, armés de pics, qui semaient la terreur la nuit dans le plat pays et se réfugiaient le jour dans les massifs de la Hotte. Évoquer la mémoire de Nicolas Morelli, c'est rappeler l'armée souffrante conduite par des chefs comme Jean-Jacques Acaau, Jean François, Jeannot Mouline qui ont fait trembler l'île entière. La répression de ce mouvement a été dure, tranchante, aveugle. Évoquer la mémoire de Nicolas Morelli dans le décor de ce demi-siècle, c'est évoquer, aux yeux de la bourgeoisie, un dégénéré, un hystérique, un « sang-sale » qui toute sa vie a travaillé dans le désordre, pour le bruit. Il ne comptait pas un seul ami dans la bonne société. Ce voyou, d'espèce rare, toujours flanqué d'une espèce d'Absalon, ne fréquentait que les « va-nu-pieds », les « gros orteils », les « cheveux crépus », ces êtres simiesques qui devraient être balayés de la surface de la terre. Évoquer la mémoire de Nicolas Morelli, c'est évoquer, aux yeux du haut clergé, l'image d'un suppôt du diable qui aurait partie liée avec la cabale, la franc-maçonnerie et les hougans de Trou-Forban.

Ah ! Que ne sommes-nous au temps de l'Inquisition ! On les brûlerait vifs sur la place publique après avoir aplati leurs couilles et arraché leurs ongles. On connaîtrait alors rien moins que la vérité sur cette étrange soudure entre les Morelli et leur domestique Absalon. Ceux qui parlent ce langage sont les tenants d'une troisième école. Ceux-là mangent du côté de l'archevêché et des dames organisatrices de célébrations et de processions. Pour étayer leurs allégations, ils racontent que Nicolas Morelli mourut dans d'étranges circonstances. Il fut terrassé dans une pièce du sous-sol, pièce fermée depuis la mort de l'ancêtre Démétrius Morelli et où se trouvaient objets et livres ésotériques. Absalon, le fidèle Absalon, dans un coin de la pièce, était inconsolable. Il n'arrêtait pas de murmurer : « Mon fils, mon chéri », cependant que de grosses larmes venaient s'engouffrer au coin de ses paupières rouges. Cette rumeur tenace parle d'une ultime bacchanale durant laquelle Nicolas Morelli fut foudroyé. Il avait réussi, en suivant les recommandations du *Petit Albert*, à faire descendre du firmament, dans une assiette recouverte d'un parchemin vierge, une constellation d'étoiles. À la vérité, Nicolas Morelli s'éteignit doucement à l'âge de soixante-dix ans. Absalon, c'est la mémoire des Morelli. Debout comme un roc, de toute éternité, il n'y a que lui à connaître la vérité.

*
* *

Il n'y a qu'Absalon à pouvoir m'aider à recoudre ma mémoire si tant est que, dans ce pays, l'âge même de la naissance s'inscrive d'emblée dans l'âge des révoltes et de leur étouffement, des libertés conquises à l'aube et brûlées à la tombée du jour, des rêves floués au mitan de la vie à force d'être gardés captifs. Il n'y a que toi, Absalon, à pouvoir me parler de ma mère et des circonstances de sa disparition. Peut-être qu'au bout de ton récit, je retrouverai l'unité de ma mémoire, pour l'instant éclatée, en ce lieu, en cette ville, incarnation de l'horreur, de l'apocalypse et de la mort. Absalon, je ne te l'ai jamais dit, mais après la mort de ma mère, mort plantée comme un clou sur mes dix ans, je voulus incendier Trou-Bordet. Je voulus la mettre à sac tellement cette brusque absence, cette déchirure, m'enfouissait sous l'épaisseur d'une vie complètement vide. Ah ! Qui dira la douleur d'un fils pleurant dans la nuit, auprès d'une lampe, la mort de sa mère ? Qui dira l'angoisse d'un garçon en attente de l'aube, dans l'impossibilité de trouver les mots pour nommer son désarroi et sa détresse ?

Toute mort évoque d'autres morts. C'est encore Absalon qui le dit. Il faut bien l'avouer, la vie n'a pas été tellement tendre pour la famille Morelli, poursuivie par une sorte de guigne, une déveine cordée qui la stigmatiserait. Quelle en serait la provenance ? Quels crimes anciens que des générations successives seraient en train de payer ? Quel éclat obscur aurait blessé primitivement leurs gènes ? Si la raison pose en termes interrogatifs, la mémoire, elle, se souvient. Elle recoud les événements en une tapisserie qui présente les points de croix et de tribulations de l'illustre famille des Morelli. Les flâneurs de Trou-Bordet, les truands mêmes, savent qu'il faut réfléchir deux fois avant de s'aventurer à mettre un pied chez les Morelli. Tous rappelleront ce banal dimanche de la mi-août en chaleur. On pouvait percevoir distinctement le grincement des roues des wagons du petit train de la Sugar Company se profilant, ce jour-là, sur un fond d'horizon ocre. Entendait-on encore le bruit familier de la mer faisandée, proche, comme une rumeur feutrée ? De ce côté-ci de la ville, la mer on l'entend, mais on ne la voit pas. Soudain une clameur. Un seul cri qui s'éteignait aussi brusquement qu'il s'était levé. Une odeur de morue séchée, de poils brûlés, soulevée par le vent qui l'instant d'avant n'était qu'un pet de l'éternité.

Une foule de curieux s'était rassemblée autour d'une forme gisant sur l'asphalte. Il faut se rapprocher pour mieux voir. Un cadavre ! Un cadavre à demi calciné sur le macadam fumant ! Des mains intactes se détache le coquillage régulier et jauni des ongles. La barbe est passablement brûlée et la bouche, du coup, boursouflée, apparaît nettement comme libérée du visage à demi noirci. La mort l'a peut-être frappée à l'instant même où elle s'apprêtait à prononcer l'insulte suprême, quelque chose comme le cul de vous savez qui... Le spectacle était ponctué de silences et de bourdonnements de mouches qui mettaient en relief d'une part le soleil tranchant d'août, de l'autre le grincement des wagons remplis de canne à sucre, de sacs de farine et de ciment. Pas un cri autour de cette vie qui venait à peine de s'éteindre, paquet d'énergies réduites maintenant à un poids de vide presque cendré. Pas un cri ; simplement par à-coups, un murmure : « Le gars des Morelli — Lequel des deux ? — Gabriel ? » Un petit signe de croix sur une bouche blanche et fendillée. « Non, l'autre. » Par fragments, des histoires se composent, se décomposent et se recomposent. « Sylvain ? — Qui ? — Sylvain ! — Ah ! Sylvain Morelli — Non, oh non ! » Une bouche plus bavarde chuchote : « Je me souviens de lui, Sylvain Morelli, il courait après toutes les gazelles du quartier. » Une bouche interrogative s'inquiète : « Était-il dans le Sud, lui aussi ? — Il paraît que l'armée a eu raison d'eux... » Des images de défaite vagabondent dans l'air. La plaine du sud, qu'on dit, est jonchée de cadavres couchés dans l'herbe sauvage, cadavres calcinés, cadavres d'animaux dessinant sous un ciel pourpre d'étranges hiéroglyphes, cadavres de soldats cuirassés de bleu zéphyr, combattant sous le signe de la pérennité. À peine les distingue-t-on des cadavres habillés de vert olive, cohorte de la mer, de la revanche et de l'ombre. Cette bouche vit hors du temps. Elle fait référence à des événements qui se sont déroulés il y a quelques années. Douze jeunes gens, programmés par la nostalgie, l'exil dans une ville désignée sous le nom de « La poubelle de Dieu », douze fils de bonnes familles, travaillés par l'amour du pays natal, la révolte, la colère, la revanche. Jeunes encore, plusieurs d'entre eux avaient vu de leurs yeux qui un frère, qui un père, tel autre un oncle, massacré par la satrapie. Alors ils avaient mijoté, de leur lieu d'exil, une petite invasion dans le style de l'époque. Il était coutumier de penser qu'avec le pourrissement des contradictions on n'avait qu'à prendre un fusil et les paysans arriveraient comme des mouches, piaffant d'impatience à régler leurs comptes à la domination et à l'exploitation. Ils sont venus par la mer Caraïbe, ont tenu douze semaines dans les montagnes de la presqu'île du Sud et ont laissé mémoire de hauts-faits et de grand tumulte dans la tête des paysans lacustres.

Je me souviens du spectacle. Octobre, cette année-là, était ensoleillé très tôt le matin. Un mulâtre et un Noir, rescapés de l'invasion, devaient être fusillés après la montée du drapeau rouge et noir, le dos contre un mur du cimetière de la ville. Cela s'était déroulé dans un contexte de bruit et de fureur. La ville entière fut convoquée. Fonctionnaires, écoliers, majorettes, fanfare, tout y était, y compris « La Voix de la République » qui retransmettait les différentes étapes de l'exécution, dans les deux langues du pays. Je me souviens, Absalon, du regard de Milou Drouin. Catholique pratiquant, disait-on, il refusa cependant l'hostie et la croix que lui tendit, à cet instant suprême où il contemplait déjà l'éternité, un prêtre dépêché par l'archevêché. Un étang de larmes pour ces douze patriotes fauchés dans l'avril de leur vie !

Une centaine de personnes, en cercles concentriques, sous le soleil, épaule sur épaule, épaule contre épaule : la foule contemple les restes de Sylvain Morelli : « ... mais, bon Dieu, pourquoi ? Pourquoi ? J'ai vu passer M. Sylvain. Il transportait sous l'aisselle un bidon d'essence. Ce détail ne m'a pas frappé. J'étais occupé à réparer les chaussures de Théodat... Il doit passer les chercher à cinq heures... Un rendez-vous important, je suppose... — Mais on ne va pas le laisser là... Cette senteur finira par nous étouffer », fit une bouche sous-tendue par une cravate logée dans un faux col. Cette bouche tente désespérément d'interrompre le récit de Desylomme Mathurin, le cordonnier. Il serait apparemment le premier témoin de la scène. « ... Quelle tragédie, gémit-il, je l'ai vu se tenir debout au milieu de la rue. On eût dit qu'il avait l'humanité contre lui, il s'est arrosé largement d'essence puis fit craquer une allumette... » « Mon Dieu ! » fit une voix fluette. Le cordonnier enchaîna : « ... Le temps de le dire, il flambait comme une torche... Pourquoi, pourquoi ? » Ah ! Si le père Morelli n'était pas mort, il le serait aujourd'hui. Astrel Morelli aimait beaucoup ce garçon. Si jeune, vingt ans peut être, ce n'est pas un âge pour se tuer... Mais on ne peut pas le laisser là... Il faut se grouiller, faire quelque chose... « Agnès ! Agnès ! Apporte un drap », commande Mathurin le cordonnier. La minute d'après, une femme, les paupières baissées, la démarche lymphatique, se présentera avec un drap de Siam d'une blancheur impeccable. Ce drap eût pu être aussi bien de percale s'il y en avait eu dans les parages. « Amis, amis camarades, un coup de main… On ne peut le laisser traîner sur l'asphalte, dans la poussière… Un coup de main… Portons le cadavre à la famille… » — Où habite-t-il ? — D'où sort-il, celui-là, il n'est pas d'ici celui qui ne connaît pas la maison des Morelli ? » Machinalement, les yeux se lèvent vers le monticule dominant ce versant de la ville. Dans la mi-août en chaleur, la demeure des Morelli, toutes fenêtres éteintes, somnolait. Le cadavre est enroulé dans le drap et déposé sur une civière de fortune. Quatre hommes, torse nu, improvisaient sous le poids de la dépouille des pas de danse cadencés par un chant qu'ils fredonnaient à bouche presque fermée. Chant de plantation à la tombée du jour. Mélopée de détresse inventée jadis au temps des plantations. Lente mélopée, lénitive et funèbre. Le convoi fend les venelles de la cour des Pisquettes, fourmilleuse, ouvrière et mercantile, remonte la pierraille des rues jalonnées de pylônes électriques. Rue américaine, chair à l'étal sur le soleil au milieu de l'après-midi. Rue des casernes, rue assassine, elle serait déserte, quadrillée d'un silence de plomb, n'était ce léger trémoussement. Son caractère insolite fait apparaître, derrière des jalousies à demi closes, des silhouettes rêches, bouches éden-

56

tées, faces inquiètes. Rue de la Révolution, rue coupable d'infamies, par on ne sait quelle association d'idées on l'a rebaptisée rue de l'Enterrement. De là, en contre-plongée, on perçoit nettement le monticule où s'incruste la demeure des Morelli et, plus loin encore, la montagne, massive, pesante, de son poids multimillénaire. Rue Saint-Honoré, rue déshonorée, le ciel est désert. Les ramiers sauvages l'ont vidée du signe triangulaire de leur présence. Le convoi longe le littoral du Bois-de-Chêne. La rivière-lavoir coupe la ville en deux. Calcutta ou Byzance, Trou-Bordet triture l'animal, le minéral et le végétal, les broie quotidiennement. Il faut marcher sur les deux rives de Bois-de-Chêne pour voir ici les prostituées, les détritus, les rats crevés et, juste en face, la Splendeur, le Parfum, la Fraîcheur. Le convoi traverse le chemin des Dalles, rue noble, rue de haute moralité et de grande distinction. Il débouche sur Turgeau, sous un soleil incandescent. À Croix-des-Prés, même les chiens sont alités pour la sieste, cette sieste lourde de l'après-midi, parente de la mort, en sorte que cette scène n'a pour tout bruit de fond que l'à-voix-basse des mélopées et le pas des hommes martelant l'asphalte avec une régularité de métronome. Le convoi arrive devant la maison des Morelli. Selon le rituel, les hommes décrivent trois cercles concentriques, puis s'arrêtent net. Ils déposent leur fardeau et se regardent dans le blanc des yeux, perplexes.

Résurgence de l'interdit ! « Vous savez, compère Désy, on n'entre pas dans cette maison comme ça. »

Celui qui parle ainsi porte, malgré son grand âge, une chemisette rouge et une triste culotte d'un bleu zéphyr, délavée, fripée aux extrémités. « … Faudrait surtout pas, compère Désy, se mettre à roter d'un plat qu'on n'a même pas humé, non ? » La foule éclate en divers petits groupes : chuchotements, mimiques d'approbation. Des regards s'ouvrent sur le vide ; des doigts grattent brièvement des crânes rasés ; la salive gicle entre deux incisives. « … Ô pieds ! Qu'ai-je mangé et n'ai point partagé avec toi… » Deux bras maigres et nus se sont risqués à prendre le ciel à témoin : « Je vous le dis, ô peuple sans mémoire, cette maison… » De toute évidence, on s'apprêtait à subir une homélie. Elle fut coupée sec par la bouche à faux col entourée d'une cravate. « Un instant, s'il vous plaît… » Maître Théodat Jean-Louis, un avocat de la basse ville, défenseur ardent des humbles et des orphelins, juché sur un tronc d'arbre, criait à tue-tête : « Un instant, s'il vous plaît. » Mais ce sera en vain. Il sera obligé de s'aider de ses deux mains, pour amplifier sa voix, « un instant, s'il vous plaît ». Maître Théodat Jean-Louis criera neuf fois : « Un instant, s'il vous plaît, ne partez pas ! », neuf fois bien comptées avant d'obtenir le silence et l'attention du convoi. « Amis, amis compatriotes, dit-il en reprenant son souffle, donnez-moi audience ! La charité chrétienne, l'amour du prochain, qu'est-ce que vous en faites ?… Il est vrai que, depuis la Guinée, les nègres haïssent les nègres… Il est vrai que cette maison nous a toujours paru comme un corps étranger en notre sein, une enclave dans notre territoire. De grands mystères l'ont toujours entourée ; mystère, la vie quotidienne de cette famille ; mystère, leur mode de subsistance et de reproduction ; mystère, leur mort et leur sépulture ! Ils sont là-dedans comme des Chinois : avez-vous déjà vu de mémoire de chrétiens vivants enterrer un membre de la colonie chinoise ? » La foule s'était resserrée, compacte, attentive. Cette dernière phrase de maître Théodat eut pour effet de faire fuser, dans l'assistance, un petit rire humide et frais comme une légère brise matinale. En effet, il existe une colonie de Chinois à Trou-Bordet depuis fort longtemps. Personne ne connaît leurs rites de vie et de mort. Personne ne sait comment les vivants instituent leurs morts par les rites de deuil. Personne, de mémoire, ne se souvient d'avoir assisté à un enterrement de Chinois. Une seule exception pourtant : Hoku Ching, blanchisseur de talent, ami des hautes gommes de la ville. Il eut des funérailles officielles. Le seul ! La rumeur est catégorique et tranchante là-dessus : « Ou bien, quand meurt un Chinois, les autres le mangent, ou bien les Chinois sont éternels », dit maître Théodat d'une voix qui devenait de plus en plus caverneuse. « Les Chinois de chez nous sont éternels. Les Morelli également… Amis, compatriotes ! Nous ne reprendrons pas à notre compte la rumeur qui propage que les Morelli pratiquent le mal, qu'ils sont des loups-garous affamés de vies et de sang humain. Contentons-nous tout simplement de livrer ce colis au-delà de cette barrière car, dans son état présent maintenant, Sylvain Morelli n'est qu'un colis… Que le Grand Maître prenne soin de son âme ! » Petits mouvements dans la foule : des têtes se tournent, des regards se scrutent, des pieds piétinent le sol. « Cuiip… ! » Une paire de lèvres charnues contractées de biais résonne ainsi, bruyamment. Elle se desserrera pour psalmodier d'une voix métallique et impersonnelle : « Que nous racontez-vous là, maître Théodat ? Vous dépassez la mesure… — Il dépasse la mesure », reprend la foule en chœur, « il dépasse en effet la mesure ! » Maître Théodat Jean-Louis déglutit avec effort, ce qui fit monter et descendre sa pomme d'Adam. Il épongea soigneusement son front d'où perlaient de grosses gouttes de sueur. « Amis, amis, amis, supplia-t-il, prêtez-moi l'oreille ! — Écoutez-le donc », dit d'une petite voix grêlée le sacristain de l'église du Sacré-Cœur qui s'était joint à la foule au moment où elle traversait le chemin des Dalles. « Je prends la parole pour réclamer de vous un geste de générosité et non pour tenir un meeting. Le mal que font les humains, disait un grand homme, vit après eux ; le bien est souvent enterré avec leurs os : qu'il n'en soit pas ainsi du petit Sylvain Morelli. Il était notre ami, nous l'aimions, n'est-ce pas ? Souvenons-nous de la bonne étoffe avec laquelle était faite son amitié ! Vaillant garçon ! Souvenons-nous de la métallique gaine qui moulait sa vaillance !… Oh ! bon jugement, se peut-il que vous ayez abandonné

les têtes des hommes, que celles-ci soient maintenant comme des calebasses creuses et vides, se peut-
il que mes concitoyens aient perdu leur raison ?…
Excusez-moi, je ne peux m'empêcher de pleurer
quand je vois mes frères de sang négliger de faire
honneur à l'amitié et à la vaillance… »

Intellectuel de grande eau, maître Théodat avait
trouvé, ce jour-là, des accents shakespeariens, des
paroles qui avaient la vertu de remuer les grands
fonds. La foule s'était grossie de minute en minute.
Juché sur un tronc d'arbre, maître Théodat tenait,
calée sous son aisselle, une valise de cuir élimé.
Quelques écornifleurs sont d'avis que maître
Théodat était un candidat à la députation et que,
probablement, il allait procéder à une distribution
d'argent. On se rapproche. On occupe des positions
stratégiques. On s'informe : « Est-il envoyé par la
mère ou par le fils ? » Détail important ! Chacun
savait que les dés étaient pipés. Trou-Bordet, sous le
diktat de la présidence à vie, avait perdu la mémoire
des élections depuis des décennies. Le père mort,
l'hérédité suivait son cours. Le pouvoir était dévolu
au fils mais tout portait à croire que la mère gouver-
nait encore. Ainsi, interprétait-on le fait que l'exécu-
tif venait de convoquer le peuple dans ses comices
pour renouveler le Parlement, comme la manifestation d'une lutte hégémonique. Deux tendances
s'affrontaient impitoyablement : d'un côté, les dinosaures, inconditionnels partisans de la mère, de
l'autre, les technocrates, opportunistes courtisans du

fils. On chuchotait aussi que seuls les candidats appuyés par la mère avaient une chance de salut. Maître Théodat, la valise de cuir serrée sous l'aisselle, poursuivait sa harangue. Il prononça d'une voix émue, cassée, le nom de Gabriel, le frère de Sylvain Morelli.

Résurgence d'un événement ancien : le massacre de la Petite Saline ! C'était en 1957. Une nuit de juin. La Saint-Jean, rappelle la mémoire intacte d'Absalon. Le capitaine Brizo, assisté de quelques officiers, avait déporté *manu militari* le président provisoire de cette époque. Celui-là était particulièrement populaire, non seulement auprès des fractions paupérisées de la petite bourgeoisie, professeurs, avocaillons, commis de magasin, mais aussi auprès des ouvriers des filatures, des syndiqués de la Compagnie sucrière et des prostituées des zones frontalières. Jusque-là, cette popularité paraissait bien anodine, mais quand elle s'est mise à charrier dans son sillage l'immense flux des prolétaires en haillons, les peuples de la nuit et de l'oubli, les exclus, les marginaux, cela devint impardonnable. La cour Bréa, la rue Saint-Martin, la cour Fourmi, le Fort national, la rue Quatre-Escalins, la cour Jardine, la Petite Saline, le Corridor Bois-de-Chêne, ces noms résonnaient comme un leitmotiv dans la tête des bien-vêtus et des pommadés. Ils évoquent le « rouleau compresseur », danses hallucinatoires : la guenille, la faim, la sueur prennent la rue. La colère écrase tout sur son passage. Sauve-qui-peut les biennippés, les bien-nourris. Il fallait se débarrasser du chef populiste, l'icône même de la subversion. Cette tâche fut confiée au capitaine Brizo et à son équipe. Le leader déporté, on craignit encore la révolte populaire. On intima alors l'ordre d'incendier les bicoques des bidonvilles et d'assassiner hommes, femmes, enfants à la mamelle. Absalon se souvient des chars et des tanks de l'armée. Ils sont arrivés dans les quartiers populaires et ont tiré à hauteur de lit. Nul n'a jamais su le décompte exact des morts : la démesure de cet événement, l'horreur de cette profonde nuit n'ont laissé qu'une croix sur des bouches verrouillées. Le lendemain matin et les jours qui suivirent cette mémorable nuit de juin, ce fut le silence. Seul l'éditorial de Gabriel Morelli osa élever une voix de protestation contre cette tuerie. Il incita les manches à se retrousser, à rebâtir maison, à donner gîte aux survivants. Hourrah pour son amitié ! Hourrah pour son dévouement !

Desylomme Mathurin, le cordonnier, d'une voix calme, en se grattant le lobe de l'oreille gauche fit : « Ouais ! Il me semble qu'il y a de la raison dans ce que maître Théodat dit ; on ne peut pas abandonner le frère de Gabriel comme ça. » Il y a des mots, des phrases qui sont une perche. Théodat Jean-Louis, habile jongleur, la saisira instantanément : « Hier encore, j'ai relu le dernier éditorial écrit par Gabriel, le lendemain de cette sombre nuit de juin. Pardon, je n'ai pas l'intention de vous le lire, mais si seule-ment vous saviez ce qu'il écrivait, vous accourriez faire cercle autour du cadavre de son frère Sylvain Morelli. Nul tabou, nul interdit ne saurait vous empêcher de transporter ce corps jusqu'à l'intérieur de la maison et de le remettre à la famille. — Lis-nous l'article ! » Cet ordre tomba comme un couperet. « Mais on pourrait m'accuser... — Lis-nous l'article », reprit d'une façon encore plus catégorique la voix, amplifiée par d'autres voix. Et ce fut le brouhaha des rumeurs d'approbation. Maître Théodat serra plus fort sa valise sous son aisselle comme s'il avait brusquement peur que la rumeur ne lui donnât des ailes. « Silence ! » clama Desylomme. Applaudissements et murmures s'éteignirent. Il expliqua alors, d'un ton convaincant, que seuls les prudents parvenaient à enterrer leur mère ; qu'il n'était point besoin de tant de discours pour comprendre la portée humanitaire d'un tel geste. Il se dirigea d'un pas ferme vers le cadavre. Le cercle créé autour de maître Théodat se brisa. « Allons-y ! Suivons l'exemple de Desylomme. — Eh ! amis, vous partez, mais vous ne savez pas en quoi le frère de Gabriel mérite ce geste de générosité de votre part. Vous oubliez l'article dont je vous ai parlé... » Maître Théodat, descendu de son perchoir, se hâtait pour rattraper le groupe. « Amis, je comprends que vous soyez maintenant pressés. Ce serait peut-être trop long de vous lire l'ensemble de l'article... » Les hommes se battaient. C'était à qui soulèverait la civière. Maître Théodat, traînant les pattes, emporté par l'éloquence, n'avait même pas réalisé la distance qui, maintenant, le séparait de la foule. « Je rêve d'une terre où tous les citoyens auraient un droit égal à la santé, à l'éducation et au travail. Je rêve d'une île où la vie serait une immense montagne de fêtes et de danses… » La foule s'apprêtait à franchir la barrière des Morelli. Maître Théodat, marionnette désarticulée, agitait fébrilement les bras : l'éloquence, vol d'Icare, battait des ailes. « …Je rêve d'une terre où la terre serait à ceux qui la travaillent, la charrue à ceux qui la poussent et le pain partagé en tranches égales. Je rêve de cordialité, d'épousailles du cœur et de l'esprit… »

Un son grêle. Trois fois, le marteau a frappé les parois de la clochette. « Attendez! » dit une voix de femme venant du fond de la cour. « Absalon ! Ab-sa-lon », fait la voix en détachant la deuxième fois chaque syllabe du prénom. Immédiatement, apparut un domestique endimanché, veste d'alpaga noir sur torse nu et pantalon blanc. Pieds nus, il descendit lentement les marches d'un petit escalier et traversa la cour jusqu'à la barrière en fer forgé. Un bruit de gonds rouillés, des têtes se montrent, des cous s'allongent dans l'embrasure de la barrière. Eva Maria est assise au milieu de la véranda, dans un fauteuil d'osier. Elle est vêtue d'une ample jupe d'organdi blanc que fait gonfler un jupon amidonné. La garniture qui le borde dépasse au moindre mouvement. Un serre-tête en métal blanc orné de fleurs multicolores retient ses cheveux dénoués. Elle porte des sandales de cuir dont les lanières serpentent le mollet. Elle agite, lascivement, un éventail en dentelle d'Alençon, brodé de paillettes étincelantes. Les baguettes de nacre sont garnies de motifs sculptés à la main. Personne, mais personne dans le convoi, ne pouvait soupçonner que cette jeune femme avait la vocation du malheur. « Absalon, que veulent-ils ? » demanda Eva Maria, les yeux écarquillés. Desylomme Mathurin chuchota quelques mots à l'oreille d'Absalon et s'esquiva pour laisser passer le convoi au grand complet. Les yeux hagards, Eva Maria, blême, gémit : « Sylvain ! » Puis, on entendit un cri, un immense cri qui venait d'entrailles blessées. Absalon demanda aux hommes de pénétrer dans la maison. Le cadavre fut déposé sur un divan dans la grande pièce du salon. Eva Maria, le corps traversé de convulsions, suait à grosses gouttes. Appuyée contre le pilastre de l'escalier, elle balbutiait des sons inarticulés. On crut deviner qu'elle prononçait le nom de Sylvain et réclamait la présence de Noémie et d'Hortense Morelli.

3
OBSERVATIONS SUR LA DÉCRÉPITUDE
DES MORELLI

J E ME SOUVIENS de la mort de Sylvain Morelli. Je
me souviens. C'était à la suite des alizés d'août.
Ô mémorable année de mes sept ans ! Comment
pourrais-je ne pas me souvenir puisque les événements se sont précipités à un rythme tellement accéléré, par la suite, que je porte en moi-même le bruis-
sement des paroles qui accompagnèrent le cortège
des fêtes et défaites, des travaux et des jours. C'était
l'année de mes sept ans. Absalon dit que, depuis, je
regarde en moi comme dans les eaux d'une fontaine,
épris, semble-t-il, de ma propre image. Absalon me
répète souvent : Narcès, si tu ne prends garde, tu
finiras par te précipiter en toi-même. Mais ce
qu'Absalon ne devine pas, c'est ma quête secrète : la
signification de la mort de ma mère, parmi les
insultes, la haine et le crachat. Remuer un passé en
cendres, c'est une indiscrétion qui se heurte à des
réserves infinies ; c'est frapper des nœuds de
silence ; c'est buter contre des résistances aveugles.
Mais qui, mieux qu'Absalon, peut me parler de ma

mère ? Qui, mieux que lui, peut m'ouvrir les yeux, dénoncer les pièges que la rumeur pose autour de toutes mes issues ? Fragile, l'étoffe du récit ! Absalon Langommier, rends-moi le sens de la mort de ma mère. Toi, la mémoire des Morelli, toi seul, tu peux éclairer cette scène où j'ai perdu un corps, un objet d'amour et, en un sens, mon propre corps. Absalon ! Absalon ! Je t'en supplie. Dans quelques heures, il fera jour, si tu ne m'aides pas à éclaircir les mystères qui entourent la mort de ma mère, comment pourrai-je jamais émerger de ce passé fait de blessures ? Ce jour-là seulement, je cesserai de prendre ma vie intérieure comme unique préoccupation, comme unique centre ; je pourrai sortir de cette contemplation étroite pour retomber sur mes pattes avec un bruit d'homme. En attendant, qu'il est obstiné ce clapotis de marée d'onde de ma mémoire trouée. Absalon ! Absalon ! Absalon !

*
* *

En ce temps-là, Mlle Hortense faisait une neuvaine. Elle allait chaque jour implorer les Saintes Plaies du Christ. Quand midi surplombait le calvaire, agenouillée sur son ombre, elle gravissait l'escalier menant vers l'homme de Nazareth attaché à sa croix de suie, sous le soleil. Les yeux fermés, elle s'en remettait à son créateur, l'implorant de prendre en considération son existence dans cette vallée de larmes. Elle n'était pas heureuse, Mlle Hortense. Comme on dit communément, c'est une femme qui n'a pas de chance. Pourtant tout semblait la favoriser au départ. C'est à l'externat Sainte-Rose de Lima qu'Hortense Morelli a été élevée : elle y étudia les sciences familiales, la couture, la psychologie de l'enfant et tous les arts domestiques. *Mens sana in corpore sano*, on développa chez elle le goût de la culture physique, le souci de l'hygiène corporelle ; on l'initia aux secrets de l'art culinaire. Tout cela pour la plus grande gloire du Christ. Elle entreprit le piano classique, la peinture à l'huile, répétant les techniques et méthodes des grands maîtres. Elle lut, apprit par cœur les œuvres de quelques poètes, gagna même un grand prix de diction dans un récital où elle se produisit à l'Institut français, devant Son Excellence le président de la République : elle avait interprété des poèmes d'Anna de Noailles et de Marceline Desbordes-Valmore. Elle en sait des choses, Mlle Hortense, pour avoir fréquenté durant des nuits de veille *La Porteuse de pain, Graziella, Madame Bovary, Le Maître de forges*. Elle pouvait aussi bien exécuter des sonates de Chopin que raccommoder des pantalons ou repriser des chaussettes. Dans Trou-Bordet, on ne pouvait trouver lingerie, trousseau de future mariée plus finement brodé que le sien. La préparation de petites bouchées, de pâtes feuilletées et de pâtisseries françaises pour réceptions et galas n'avait pas de mystère pour elle. Mlle Hortense était ce qu'on pouvait appeler une « fille préparée ». De plus, elle avait la vertu des femmes qui savent s'effacer ou être présentes quand il le faut.

Ainsi armée, Mlle Hortense n'avait qu'à s'asseoir et attendre, au milieu de ses toilettes de Paris, de ses meubles en cèdre du Liban, de ses porcelaines de Limoges, de ses verreries en cristal de Baccarat. Elle n'avait qu'à s'asseoir et attendre le prince, le beau prince, sur un cheval blanc qui ne saurait d'ailleurs tarder à arriver, le beau prince... Pourtant, contrairement aux prévisions les plus sûres, Mlle Hortense a attendu. Au début, elle a fait la fine bouche, c'était naturel : elle vit ainsi défiler tour à tour deux ou trois professeurs de lycée, un commis de grand magasin, un journaliste de chiens écrasés, un poète méconnu, un prêtre défroqué. Elle ferma même la porte au nez d'un vétérinaire, l'odeur animale lui était nauséeuse. Elle regrettera longtemps cette saute d'humeur puisque les jours suivants la rumeur circula — Ah ! que ne ferait un amant dépité — tenace : la grande fille à Morelli est bisexuée. Des témoins oculaires, ex-ménagères ou femmes de chambre, l'ont certifié. Elle est hermaphrodite. Des personnes dignes de foi peuvent donner une description détaillée de la place, de la longueur et de l'apparence du petit phallus que porte Hortense Morelli en dessous de ses jupes. Trois années de suite, des groupes carnavalesques, au début à mots voilés et finalement à refrains courts et à répons, ont modulé leurs déhanchements sur des variations rythmiques innombrables axées sur le sexe de la fille à Morelli.

> *Poils, c'est la vanité*
> *Seul le trou peut compter*
> *Nous sommes les enfants de la Vérité*
> *Nous méprisons la Vanité*
> *Hortense Morelli troue seule sa virginité*
> *Vive le trou*
> *Seul le trou peut compter*
> *Douce ! Douce ! Yasse ! Yasse !*

La trentaine sérieusement entamée, Mlle Hortense, seule, droite comme un *i*, défia la rumeur populaire et lui opposa son mépris le plus hautain. À l'entendre parler, oh ! les litanies de Mlle Hortense, on croirait qu'elle est née sous d'autres cieux : elle vilipende les comportements, les mœurs sociales et les traditions de ce pays ; les ciels blonds de Norvège, les fontaines lumineuses d'Italie passent et repassent dans les chansons qu'elle fredonne. Quand on lui demande pourquoi les mélopées de la noire et lointaine Afrique ne colorent point son répertoire, comme si elle venait d'être victime de la pire vacherie, elle pince ses lèvres charnues et violacées. Celles-ci dessinent alors une moue subtile et produisent un frêle bruit indescriptible : manifestation du profond mépris que certaines gens nourrissent pour les racines les plus vivaces de ce pays.

Beaucoup d'eau a coulé sous les ponts. Oui, beaucoup d'eau ! Cela fait des années qu'aucun homme n'a sonné au portail pour Mlle Hortense. Des années qu'on ne l'a vue en compagnie d'un homme. Non, il y eut une exception. C'était au temps de l'Exposition universelle organisée pour célébrer les fêtes du bicentenaire de Trou-Bordet. Des cirques, des marchands forains, des troupes folkloriques en provenance d'Amérique du Sud étaient venus se produire dans la ville. À cette occasion, ils offraient aux spectateurs éblouis non seulement de clinquantes représentations, mais également d'étranges marchandises : des ceintures magnétiques, des baumes contre les maléfices, des variétés sirupeuses de stramoine, des pommades contre les cauchemars, des poudres parfumées pour séduire les hommes... Il vint aussi dans la ville, avec les Retablos de Maravillas du Venezuela, un danseur de corde. Mlle Hortense avait décidé, ce soir-là, qu'elle irait au spectacle voir celui qu'on disait beau comme Apollon, applaudi aux quatre points cardinaux. Elle mit ses bas noirs et ses escarpins vernis. Elle enfila sa robe de mousseline jaune opaline garnie de broderies indiennes, importée de Colombie, qu'elle n'avait pas ressortie depuis que le temps menaçait d'estomper ses rêves bleus. Elle s'était ornée de boucles d'oreilles d'opale, de bracelets scintillants et elle s'était parfumée. Le matin même, elle était allée se faire coiffer. Un beau chignon mettait en évidence ses grands yeux qu'une couche de bleu cendré cernait discrètement. Vénus allait contempler Apollon de passage dans sa ville. Elle paya fort cher, ce soir-là, pour une place à la première rangée et, du spectacle, pas un geste, pas une mimique ne lui avait échappé. Vinrent d'abord les danseurs aux gestes démesurés qui, sur une musique trépidante, produisirent une chorégraphie tenant à la fois de la cavalcade et de la procession, mêlant l'esthétique pure des lignes et des couleurs aux attitudes équivoques et tape-à-l'œil. Ce fut une ronde effrénée de costumes multicolores qui tantôt disparaissait, dissipée en fumée, pour revenir plus vive, tourbillon déchaîné, véritable invasion de papillons aux ailes coruscantes. En tout sens, les danseurs éclataient, virevoltaient, repoussaient les limites de l'espace, les obstacles du temps sur lesquels ils se brisaient, s'évanouissaient. Sur la scène, aucune place vacante. Le jeu occupait totalement le champ de l'estrade élevée au milieu du stade Sylvio Cator. Ce fut dans cette fièvre tumultueuse qu'apparut Théodonio Dos Santos, le danseur de corde. Ni Lucho Gatica, ni Perez Prado, ni Celia Cruz, ni même Sylvio Cator n'avaient connu tel triomphe.

La représentation terminée, Mlle Hortense fut la première à se trouver sur la scène pour féliciter le danseur. Au milieu des applaudissements et des cris délirants de la foule, nombreuse ce soir-là au stade Sylvio Cator, ils se sont serré la main, sans se regarder dans les yeux, avec ces gestes malhabiles qu'on connaît aux gens qui se rencontrent pour la première fois et qui pourtant se reconnaissent. Théodonio Dos Santos vit-il le désir flamber dans les yeux noirs de Mlle Hortense ? Ils se sont frayé un chemin dans la foule, à coups d'épaule et de coude ; ils ont marché dans la ville peuplée de tambours somnambules. Ils ont longé le bord de mer. À la place des Dragons, ils sont entrés dans un restaurant. Théodonio Dos Santos ne connaissait pas les spécialités culinaires de Trou-Bordet. Mlle Hortense lui conseilla une entrée de beignets aux crevettes, les conques marines, sommet de la gastronomie créole, accompagnées de riz collé aux fèves du Congo ou aux petits pois, la salade de cresson. Mangeant avec gourmandise, le danseur de corde parla longuement des pays d'Amérique latine qu'il avait visités, les plages de Copacabana, les réserves de la Standard Fruit, les pyramides de Teotihuacan, les gouffres de l'ITT, les civilisations du peyotl, la cordillère des Andes, la colère des Cangaceiros, tout y passa. Tous les mille petits faits, us et coutumes propres à cette contrée de maïs, de chevreaux, de latifundistes, de flûtes et de teints cuivrés Mlle Hortense en était émerveillée. Le garçon de table fit flamber devant eux, au rhum, les bananes du dessert. Leur lueur mauve remplaça furtivement celle des lucioles dont Trou-Bordet, à cette heure, commençait à être sevrée. Silencieusement, ils sirotèrent le café noir et fumant, puis ils partirent, la main dans la main, dans la nuit bleutée. On dit les avoir revus près des bégonias, Mlle Hortense s'était assise, les volants de sa robe de mousseline étendus sur l'herbe bordée d'une allée plusieurs fois centenaire. Ils se sourirent. Leurs bouches étaient enfin libres de nourritures et de paroles. Étreintes et râles ne tardèrent pas à s'entremêler au souffle du vent qui balayait la terre d'est en ouest. Leur jarre de soif et de désirs avait atteint son niveau d'eau. Mlle Hortense l'a raconté elle-même : elle avait le ciel étoilé dans les yeux et, de temps à autre, ses mains, doigts écartés, s'enfouissaient profondément dans le sol, mais elle savait, et le danseur de corde aussi, que dans ce jardin de pierres mangées, l'amour, chose frivole, ne faisait que répéter ses gestes millénaires. Elle ne revit plus le danseur de corde qui partit le lendemain pour d'autres villes, d'autres pays. Mlle Hortense n'eut aucune blessure au cœur. Ah ! Quelle merveilleuse femme que cette Hortense Morelli !

Midi surplombait le calvaire. C'était la neuvième journée consécutive qu'elle faisait, à genoux devant les plaies du Christ, cet exercice de piété et de prières. À voix basse, durant trois longues et bonnes heures, Hortense Morelli communiquera directement avec le Créateur. Sa neuvaine terminée, elle ne ressentit pas pourtant cette impression de paix que lui procurait ordinairement ce genre d'exercice. Angoissée, elle descendit lentement les degrés du calvaire. Au trottoir, elle tourna la tête vers la croix pour une dernière supplication. Elle vit alors de vraies gouttes de sang se détacher du flanc du Christ. Elle n'en crut pas ses yeux. Elle se frotta les paupières, imputant cette perception à la faim, à la fatigue de l'instant d'après-midi, au glissement progressif du soleil qui amorçait son déclin vers la mer. Elle pressa le pas. Elle voulut héler un taxi. Il en passa trois ou quatre, en trombe, vides. Elle changea d'idée, doubla ses petits pas, pressée. « Vous faites bien de vous dépêcher, Mlle Hortense », dit le mendiant aveugle qui longeait comme à l'accoutumée, en claudiquant, la rue en contrebas du calvaire. Il avait reconnu le bruit de ses pas. Hortense le regarda dans le blanc de ses yeux morts, puis jeta dans son chapeau trois pièces de dix sous. « Dieu vous garde, Melle Hortense », dit le mendiant. Elle pressa davantage le pas, puis se mit à courir à toutes jambes, affolée. Elle trébucha, perdit un talon, mais ne s'arrêta même pas. Elle courait. Elle courait pieds nus, vers la demeure familiale. Le cœur à la gorge, le souffle coupé, Hortense franchit la barrière, traversa en un clin d'œil la cour, la véranda. Elle s'arrêta pour reprendre son souffle devant le seuil de la porte d'entrée. Elle suait à grosses gouttes.

*
* *

Absalon remercia et pria les visiteurs de vider les lieux. Instruit des soins qu'il convient de donner à un mort, il souleva avec douleur et respect le corps de Sylvain et le porta à sa chambre qu'il avait eu le temps de débarrasser. Le lit occupait une place centrale dans la pièce. Absalon y déposa le cadavre. La toilette du mort allait commencer. Il traça un cercle de sel, puis fit brûler de l'encens. Eva Maria, elle, de temps à autre, poussait de petits gémissements suivis de petits rires hystériques comme si elle vivait la scène à la fois sur le mode le plus sérieux et le plus dérisoire. « Toute mort se doit d'être stylisée, ciselée, dit-elle, quel piteux spectacle, Sylvain Morelli ! Mal mourir est un affront à soi et à autrui. Il y avait lieu de bien te comporter, Sylvain, même dans la mort. » Absalon enleva la terre qui encombrait la bouche du mort, lava les traces de poussière. À l'aide d'une éponge il fit éclater les cloques et bouffissures affreuses soulevées sur la peau par la brûlure. Il les assécha et s'efforça de les refermer sans en laisser nulle marque apparente.

Absalon lava le cadavre. Il versa sur lui de l'eau de lavande, mais ç'aurait pu être de l'ambroisie si ce nectar existait sous les Tropiques. Il rasa le visage de près. Il revêtit son teint de blancheur. Les gestes d'Absalon exprimaient un amour et une dévotion infinis. Il poussa le cérémonial jusqu'à lui enfoncer un citron dans l'anus pour qu'il ne « lâche » pas comme le recommande la coutume.

Eva Maria, à l'aide d'un démêloir orné de petites pierres, lissa les cheveux d'un noir de jais. Et voilà que le cadavre commençait à se retrouver non seulement beau et propre, mais plus beau que nature. Eva Maria lui parlait : « … Sylvain, mon beau navire, ô ma mémoire, Sylvain, mon frère ! Quelle responsabilité, nous portons dans ce pays de vaches maigres qu'est le nôtre. As-tu pensé à ce que cette île pourrait représenter pour le monde et à ce qu'elle est aujourd'hui ? Quelle race nous aurions pu produire ! Nous as-tu regardés, toi, moi ?... Sylvain, idiot ! Du vitriol ! Voilà ce que tu as lancé, du vitriol en plein visage et, désormais, chaque nouveau matin verra le recommencement de notre honte et de notre humiliation. Sylvain, pourquoi nous as-tu assassinés avec tant de violence ?... moi, Sylvain, qui t'ai nommé, qui t'ai nourri, qui t'ai dessillé les yeux, moi qui t'ai essuyé le visage, moi qui t'ai lavé les pieds, que t'ai-je fait ? Qu'espères-tu dans l'accomplissement de cet acte ? Toi et moi, Sylvain, jaillis du même moule, jaillis du même ventre, t'attends-tu que je pleure comme Marie sur la tombe de l'autre ? Père avait prévu qu'on se disséminerait, qu'on se disperserait aux quatre vents. Les familles sont faites pour être cassées comme des tire-lires, disait-il. Pitié, Seigneur ! Pitié pour celui qui signait Sylvain-César-Crucifié-Morelli. Pitié pour celui qui rêvait de flamboyants, de luxuriance et de grandes joies ! Pitié, Seigneur ! Le corps est le corps : il a ses clapets, ses sas, ses écluses, ses vases communicants. Pitié, Seigneur, pour les multiplicités qui nous traversent de part en part !... Ville d'immondices ! Ville où les microbes ont imposé leur règne triomphal sur les vaccins ! Humains sans défense ! Vers immunisés ! Rendez-moi mon frère ! Te rends-tu compte, Sylvain ? Ah ! Sylvain, quel étrange cadeau tu nous fais... ? Sylvain ?... Chaque pouce de mon corps... C'est toi, Sylvain ?... Toi ?... Sylvain ! Il ne nous reste plus qu'à mourir de froid et de sécheresse, le long de cette grande migration guerrière... Sylvain, toi qui parlais de la lagune des désirs, tu n'es pas honnête, Sylvain... Maldonne... À refaire, Sylvain !... Maldonne... Oui, maldonne... À la base de ton geste, tu me demandes de choisir, mieux, tu m'imposes un choix, eh bien ! Oui. Que le Mississippi et l'Amazone inondent les plages de notre mémoire, tu es un lâche, Sylvain ! lâche ! lâche ! lâche ! lâche ! lâche ! lâche ! lâche ! lâche ! lâche ! Je te hais, pour avoir transformé ce lieu de bonheur en lieu de massacre ! Je te hais ! Ah ! Ah ! Ah ! Ah !... Je prends mes responsabilités et je fais le dernier pas dans ce qui est aujourd'hui notre humiliation et qui aurait pu être l'ultime élan de notre histoire... Je t'abandonne Sylvain... Je te jette dans les gouffres et les fournaises de l'enfer... »

Eva Maria avait enduit d'un vernis carmin les ongles de mains et de pieds noircis par le feu. Elle lui avait mis du rouge aux lèvres. « Ô mon Sylvain, te rappelles-tu quand à Carnaval nous nous déguisions toi en femme, moi en homme, te souviens-tu de la foule, des cris et des rires, une pancarte, une seule phrase et c'était la chanson ! Chez-les-Bruno-c'est-le-monde-à-l'envers-les-femmes-portent-les-hommes-sur-leur-dos », du fard sur les joues, du musc sur les paupières. Le corps, ainsi toiletté, exhalait un doux parfum. Ce maquillage donnait au

cadavre un air endimanché qui cachait, complètement ou presque, toutes les traces de brûlures.
Absalon couvrit le corps de splendides vêtements. Il
l'étala, le disposa, le beau corps, maintenant. On
dirait un jeune roi, conducteur de chevaux, âgé de
vingt-cinq ans, vainqueur à des jeux illustres. On
dirait un jeune roi qui se repose après avoir fait
triompher son char d'or et ses bêtes rapides comme
la flamme.

« Ah ! Comme tu brûles... J'aime ces flammes
qui lèchent ta nudité... J'aime ces flammes...
Comme un cancer, elles s'étalent en toi, tentacules
corrupteurs, métastases ensorceleuses. Ah ! Sylvain,
je suis au bord du spasme... Enfin les rivages du
haut jouir... Le cul pourri de ta marraine ! »

« Eva Maria ! » Ce cri, c'est Hortense qui l'a
lâché. On ne l'avait pas entendue arriver ; on n'avait
pas entendu la porte d'entrée grincer sur ses gonds,
on n'avait pas entendu les craquements des marches
de l'escalier et tout à coup, elle était là, debout,
encadrée par les chambranles de la porte, suffo-
quant presque sous l'odeur de l'encens mêlée à celle
de la chair brûlée.

« Pourquoi ce cri, Hortense Morelli ? dit Eva
Maria, bienvenue, Hortense, bienvenue à la veillée
de Sylvain Morelli ! Dis, nous ne pleurerons pas,
n'est-ce pas, Hortense ? Nous allons danser. Viens
danser avec moi, Hortense, une danse de faim-vie,
une danse du déluge. Hortense, il n'y aura pas de
funérailles pour Sylvain Morelli, n'est-ce pas ? Que

l'on apporte des lames de rasoir ou des tessons de bouteille ! Je veux des tessons de bouteille. Je veux broyer des tessons de bouteilles. Hortense Morelli, si tu es une femme de vaillance, viens au milieu du salon, viens danser une danse de flammes sur le cadavre de ton frère, Sylvain Morelli ! » Hortense s'était écroulée avec, dans les yeux, l'image de son père Astrel Morelli telle qu'elle est représentée sur la photo accrochée au mur du salon, une photo impassible : elle dominait en surimpression la voix éraillée et les gesticulations d'Eva Maria. Hortense se souvient des funérailles de sa mère et de son père. Pendant quelques instants, même, elle croit voir les deux cercueils exposés côte à côte, sous la photo d'Astrel Morelli qui avait une lueur narquoise allumée entre ses cils. Puis tout se mit à s'embrouiller, les flammes du lustre, le plafond en stuc doré, tandis que la clarté vive fait place dans sa tête à une obscurité épaisse, enveloppante. Pour Hortense, pendant un long moment, ce sera le noir...

*
* *

Narcès pensa à la photo de l'aïeul. Elle occupait encore la même place sur le mur central du salon. Il a toujours eu, chaque fois qu'il la regardait, une impression de malaise, un étrange sentiment ambivalent, mélange de crainte et d'admiration. Narcès Morelli ne soupçonnait pas un seul instant le rôle qu'avait joué dans sa vie cet aïeul, au faciès peu ordinaire autant que la photo permet d'en juger. Le menton fuyant, la barbiche de bouc, le front rugueux, le crâne presque pointu lui rappelaient les images de sorciers sur lesquelles il s'attardait dans ses livres de contes. Cette photo était si prégnante que, dans ses fantasmes d'enfant, l'aïeul jouait tous les rôles d'ogre, de méchant loup, de Barbe-Bleue. Ses yeux de gamin le voyaient bossu, chaussé de bottes de cent lieues, se métamorphosant les nuits de pleine lune en chauve-souris survolant la plaine et la montagne.

De l'avis de plus d'un, Astrel Morelli passa les dernières années de sa vie une baguette de bambou à la main. Il s'en servait, disait-on, pour ausculter chaque pouce d'un terrain qu'il avait lui-même pris la précaution de circonscrire en partant de trois marches d'escalier qui ne conduisaient nulle part et qu'il avait découvertes un soir de début de novembre, il y a de cela une dizaine d'années.

D'après Absalon, ce soir-là, sous la lente bruine de novembre, Astrel Morelli marchait de long en large, question de digérer le souper trop lourd que Rebecca, sa femme, avait préparé. Dans la cour arrière, le terrain présentait une dénivellation naturelle. Entre cette partie plus basse et le ravin qui tenait lieu de lisière à la propriéte des Morelli, il y avait une vingtaine de mètres. Absalon y avait fait pousser du maïs, de la canne à sucre, du thym, de la citronnelle, du vétiver et autres herbes aromatiques.

Les bananiers, cocotiers et autres arbres fruitiers qu'il avait essayé de planter là, contrairement à toute attente, dépérissaient. Absalon en avait conclu que seules les plantes dont les racines ne s'enfonçaient pas profondément dans le sol pouvaient y survivre. D'ailleurs, épis de maïs, bâtons de canne à sucre faisaient les délices des enfants et adolescents de la famille. C'était un peu la campagne en ville.

Ce soir-là donc, Astrel Morelli décida de pousser sa promenade jusque dans le coin de la cour qu'on avait coutume d'appeler le jardin d'Absalon. Il pourrait ainsi rapporter la citronnelle pour l'infusion de Rebecca. Celle-ci en buvait de grandes tasses, chaque soir, depuis qu'on lui avait vanté les vertus soporifiques de cette tisane. Astrel Morelli pensait aux mille maux imaginaires de Rebecca dont l'insomnie n'était pas le moindre, quand il buta sur la première de trois marches en ruine. Il ne les avait jamais remarquées. Pourtant, il croyait que cette propriété n'avait pas de secret pour lui. Gamin, il en avait parcouru les moindres parcelles, jouant au trappeur. Les lézards verts, les anolis gris, les rats, les souris, les crapauds noirs, les mangoustes blondes, les couleuvres-lianes étaient ses butins favoris de chasse. Il avait placé ses pièges partout et pourtant jamais encore il n'avait aperçu ce perron dont les trois marches ne conduisaient nulle part. Le dernier tremblement de terre avait dû les faire émerger. La terre, en effet, récemment avait tremblé. Belladère, Anse-à-Veau, Petit Troude-Nippe avaient pratiquement disparu de la carte de l'île. Des milliers de morts, de sans-abri avaient fait la manchette des grands journaux. On fit appel à la Croix-Rouge, à la Fondation Care. Mais cette aide n'avait pas suffi ; elle était tombée dans un trou de misère sans fond.

La minute de surprise passée, Astrel Morelli considéra cette découverte comme un signe évident de la Providence. Une légende avait cours dans la famille. Un lointain aïeul, était-ce Démétrius Morelli ? craignant les bouleversements d'une colonie en proie à de fréquentes agitations sociales, avait enfoui dans les profondeurs du sol une bonne partie de sa fortune. Mais l'aïeul était mort sans en avoir révélé la cachette.

Juste ciel ! On comprend maintenant pourquoi rien ne pouvait pousser dans le jardin d'Absalon. Il devait y avoir assez d'or là pour que lui, Astrel Morelli, puisse terminer en beauté son passage sur cette terre. L'Éternel est vraiment un bon berger qui l'a conduit ici, ce soir. Nous ne manquerons plus de rien. La légende parle aussi de cette colossale couleuvre que l'aïeul avait placée comme gardienne de cette fortune enterrée, emmurée dans une jarre de grès. Il fallait, semble-t-il, lui payer un gage pour qu'elle en libère l'accès. Que pourrait-il bien réclamer, ce sphinx mi-reptile, mi-homme que certains entendent roucouler et chanter depuis des siècles, les nuits de grande lune ? De quelle déesse est-elle le symbole ? Quel prix lui payer : des chevreaux de

lait, des enfants nouveaux-nés, des femmes nubiles ?
Quel prix lui payer ? Quel mot de passe lui siffler
pour qu'elle libère l'entrée de la jarre ? On verra en
temps et lieu.

Mémorable jour de novembre ! Car on ne vit
plus Astrel Morelli que la baguette de bambou à la
main. Il la frappait contre terre et quand le son lui
donnait l'impression qu'il pouvait exister une quelconque cavité, il s'arrêtait, s'essuyait le visage avec
un mouchoir rouge, regardait à gauche, à droite, en
avant et en arrière puis réalisait un geste d'une élé-
gance digne d'Esculape : il plantait la baguette
contre le sol et appliquait son oreille gauche à
l'autre extrémité pendant que sa jambe droite s'éloignait de sa jambe gauche pour former une ouverture
de soixante-dix degrés. « Cette baguette de bambou,
M'sieu Morelli, sert-elle de stéthoscope pour compter les pulsations de la terre ? Que faites-vous là ? »
demandaient des bouches téméraires d'adolescents
aux yeux ronds, accrochés à la seule partie du mur
non munie de tessons de bouteille. Quand il était de
bonne humeur, Astrel Morelli répondait : « Vous
savez, au train où vont les choses, le développement
de la ville, les travaux d'aqueduc renvoyés aux
calendes grecques, il vaut mieux avoir sa propre eau,
mes enfants ! » Astrel Morelli, sur sa barbe de bouc,
arborait un sourire en coin et un air absent.

Mais le plus souvent, il les renvoyait d'un ton
sans réplique : « Eh ! jeunes gens, mêlez-vous de ce
qui vous regarde. Que faites-vous là ? Auriez-vous

oublié à qui vous vous adressez ? » Ainsi, pour les enfants du quartier, maître Morelli jouait au sourcier. Mais cela ne trompait personne, absolument personne. Toute la ville connaissait le secret des fouilles de Morelli. Mémorable jour de novembre ! À partir de cette date, Astrel Morelli coulera ses après-midi en compagnie d'Absalon, habile dans le maniement de la pioche et de la pelle. À ses amis, il donnera des versions différentes et des causes différentes pour justifier cette nouvelle occupation si trépidante, si inaccoutumée. Son taux de cholestérol assez élevé, le surplus de poids, l'âge, il lui fallait donc maigrir, et creuser le sol est un excellent exercice pour ça, disait-il en toussotant ; à d'autres, il parlait d'archéologie, d'époques précolombiennes, du temple disparu d'Anacaona, cette reine du pays Quisqueya que Christophe Colomb dans sa rapacité avait assassinée, mais cela également ne trompait personne, surtout pas Rebecca, ni les filles, Hortense, Noémie et Eva Maria. Celles-ci se souviennent encore de ces mois de fouille où le vieux, comme elles disaient, avait renforcé la consigne du silence. Il leur interdisait tout contact avec les « autochtones », mais trouvait bien qu'Hortense et Noémie se fassent photographier par des étrangers qui venaient jouir de la vue panoramique de la ville en contrebas de la maison. Astrel Morelli ne parlait que de projets mirobolants : un voyage en Italie, au pays de ses aïeux ; une voiture Rolls Royce ; un magasin d'importation de parfum au bas de la ville ;

une dot importante pour chacune des filles ; des plantations de canne et une distillerie dont les seuls premiers mois de production suffiraient à mettre en faillite les frères Barbancourt et autres fabricants de rhum de la Martinique et de la Jamaïque. Astrel Morelli ne rêvait que de carolus. Il les convertirait en lingots d'or, beaucoup de lingots d'or, le plus de lingots d'or possible. Mais non, en bon alchimiste, comme l'est tout Morelli digne de ce nom pour qui les procédés de fusion n'ont pas de secret, il transformerait les pièces de Charles VIII en des formes multiples : de petites marques, des lingots, des lamelles, de l'or en petits grains, de l'or en poudre, de l'or en barre et suprême invention, suprême découverte, introduire l'or dans le culte vaudou sous forme de figurines. Alors, lui, Astrel Morelli, pourra se retirer tranquillement sur les hauts de Montagne Noire, accompagné d'un luth pour chanter la métamorphose de l'or en feuilles vertes, en *green back* orné du portrait de George Washington. Ce talisman ouvre les portes des citadelles les plus inexpugnables, décapsule les bouteilles de fine les plus hermétiquement scellées ; cette musique céleste charme l'ouïe féminine la plus dure : te rends-tu compte, Rebecca, à mon âge, Paris, champagne, Pigalle. « Bonté divine ! Astrel, te prends-tu pour le shah d'Iran ? Aurais-tu déterré quelque jarre pleine de carolus, pour bâtir ces châteaux en Espagne ? » le taquinait Rebecca d'un tout petit rire amusé qui dévoilait ses gencives violettes et l'absence d'une molaire. Astrel Morelli, devant la réaction de Rebecca, se renfrognait. « Idiote ! répliquait-il tout bas, surtout ne va pas raconter pareilles sornettes à tes commères. » Au bout de neuf mois, les fouilles d'Astrel Morelli n'avaient réussi à exhumer qu'un maigre et dérisoire butin : quelques tessons de poterie, vestige probable de la civilisation précolombienne, une petite madone dont la tête écaillée permettait à peine de distinguer les traits du visage, le squelette d'un animal auquel ne manquait que la tête. L'extraction s'était révélée difficile car il fallait sauver l'intégrité du squelette. Couché sur le flanc gauche, les membres antérieurs et postérieurs étalés et placés l'un contre l'autre, le cou contracté en arrière, l'animal semblait avoir été surpris par la mort. La trouvaille était intéressante, mais elle présentait une particularité supplémentaire. L'iguanodon était placé au-dessus d'un autre, mais en était pourtant séparé par une couche de sédiments indiquant le décalage d'une ère entre la mort des deux animaux.

Cette découverte ne manqua pas de frapper Astrel Morelli. Il ne connaissait rien des mœurs des iguanodons mais, curieux de nature, il convia à souper un jeune professeur de sciences naturelles qui, lui avait-on dit, s'intéressait à cette question. Il s'appelait Edmond Bernissart. Celui-ci, mis au courant de la découverte, expliqua devant Rebecca et les filles réunies autour de la table familiale que les dinosaures avaient la vie dure. On peut trouver leur trace à tous les âges de l'humanité mais, en général, ils meurent de mort violente. Il faut les ensevelir très vite après leur mort sans quoi on court le risque de les voir revivre.

Bernissart, ce soir-là, parlait avec fougue, non point tellement pour satisfaire la curiosité d'Astrel Morelli, mais pour attirer l'attention des filles, particulièrement celle de Noémie. Il l'avait déjà croisée dans la cour de récréation des sœurs du Précieux Sang, école congréganiste où, lui, Edmond Bernissart, dispensait pour un maigre salaire quelques cours de zoologie. Il savait qu'il ne pouvait s'intéresser à aucune de ces filles riches, élevées, préparées pour décrocher « un bon parti » dans les hautes sphères de l'administration publique, du commerce, de l'armée et ainsi assurer la reproduction sociale.

Le petit manège de Bernissart n'échappa point à l'œil vigilant de Rebecca. Quand tes épis mûrissent au soleil, il faut surveiller la ronde des rats. « Assez ! Assez ! Abraham dit c'est assez ! » entendit-on crier Rebecca, le lendemain matin. Elle prétendit avoir observé ici et là des craquelures, des lézardes même dans les murs, à croire que la maison tout entière glisserait bientôt dans ce trou qu'Astrel s'obstinait à creuser au-delà de tout bon sens. Sous les yeux stupéfaits d'Astrel Morelli, Rebecca, femme faisant, ce jour-là, une femme d'elle, intima à Absalon l'ordre de ne plus participer à cette plaisanterie et de combler en vitesse ce trou, véritable menace pour la sécurité de tous. Astrel Morelli ne pouvait reconnaître sous ce ton autoritaire la Rebecca qu'il avait épousée vingt ans plus tôt, dans la plus stricte intimité.

Métèques, installés à Trou-Bordet depuis la colonie, les hommes Morelli avaient, suivant les générations, épousé tantôt des étrangères, tantôt des autochtones, selon les circonstances, les besoins économiques, sociaux et politiques. Paracelse, le père d'Astrel, avait ramené d'un de ses voyages aux États-Unis une Américaine de Boston. Lorsqu'en 1915, les Marines américains débarquèrent à Trou-Bordet, les Morelli se trouvèrent ainsi du côté du pouvoir. Astrel fit ses premières armes sous l'occupation américaine. Ce Blanc aux yeux verts intégra toutes les valeurs de l'occupant, hérita ses tares et surtout sa morgue. La couleur de sa peau aurait pu lui ouvrir les portes les plus cossues de Trou-Bordet, aussi la surprise fut grande quand il décida d'épouser Rebecca Massali, fille d'Assam Massali surnommé, comme tous les autres Syriens de Trou-Bordet, « Hari-Chapacha-Boîte-Nan-Dos ».

Narcès Morelli saisissait maintenant toute la portée de ce sobriquet, tout le poids du mépris qu'il renfermait. En classe de première, son professeur d'histoire avait tellement insisté sur les implications socio-politiques de la mémorable nuit du 22 septembre 1883. Sur l'échiquier, deux partis politiques s'affrontaient : les mulâtres organisés au sein du Parti libéral qui, depuis la chute du second Empire, occupaient le pouvoir et le Parti national, un peu hors-la-loi depuis le départ pour l'exil de leur chef

Lysius Félicité Salomon Jeune, ancien ministre des Finances de Faustin Ier. Dans la tête de Narcès, les événements se précisèrent et prirent, à cet instant même, une dimension qu'il n'avait pas jusque-là soupçonnée.

De retour d'une vingtaine d'années d'exil, Lysius Félicité Salomon Jeune fut nommé président de la République. Son règne vit le plus violent affrontement que le pays ait connu entre deux factions sociales opposées. Certains racontent aujourd'hui encore les affres que connurent les habitants quand, dans Trou-Bordet décimé par la petite vérole, cette peste des tropiques qui avait fait, l'espace d'un cillement, plus de quatre mille morts, le samedi 22 septembre, des coups de feu retentirent soudain, en même temps, en plusieurs points de la ville, causant une indescriptible panique.

Le bon père qui lui enseignait l'histoire, fils de mulâtre et mulâtre lui-même, rappelait avec insistance ces événements comme s'ils étaient survenus hier ou se répéteraient demain. Le pouvoir, martelait-il, accusa le Parti libéral et en profita pour infliger à ses tenants abhorrés, un châtiment qu'il voulait exemplaire : des citoyens furent tirés à bout portant par des soldats, tandis qu'une populace déchaînée, munie de fourches, pics, armes d'hast et autres engins hétéroclites, ne pensant qu'au carnage, se déversa dans les quartiers commerçants et les zones résidentielles. Ce fut le sac le plus infernal. Les façades des maisons furent aspergées de pétrole, le feu se propageant transforma les rues en corridors d'enfer. Le bord de mer, la rue des Césars, la rue des Fronts-Forts, la rue Bonne-Foi, se muèrent en d'immenses brasiers. Ce fut le rugissement d'une fournaise. Le rouleau compresseur, horde de hors-la-loi, ne laissa que ruines calcinées sur son passage. Ce fut le fébrile entrecroisement des pillards chargés de leur butin. Des témoins oculaires raconteront avoir vu les pillards regagnant les bas quartiers de la ville portant sur la tête des chapeaux garnis de fleurs et de fruits artificiels, sur les épaules des châles de soie. Des péquenots qui s'étaient saoulés pour avoir bu trop de liqueurs, de vins fins et d'autres boissons trouvés dans les maisons livrées au pillage, s'étaient affublés de chapeaux gibus, de pardessus et portaient, aux petites heures de l'aube, des parasols grands ouverts sur leur chef. Leurs femmes auront des ombrelles de tous coloris et de grand prix pour aller à la messe du dimanche à la Croix-des-Missions. Ah ! Quelle fête pour les charognards ! Trou-Bordet a tremblé ce jour-là et les jours suivants. La ville fut métamorphosée en un immense royaume de la destruction et de la mort.

Le bon père était à bout de souffle. Il avait raconté cette histoire d'un seul jet. À la fin, il paraissait stupéfié. Quand il put poursuivre sa leçon après avoir épongé son front couvert de sueur, sa voix était cassée. Le président Salomon lui-même, reprit-il, dépassé par les événements que, pourtant, tout semble porter à le croire, il avait lui-même déclenchés, fut atteint d'une prostration indescriptible. Les bourgeois cachés, terrés, enterrés même, ne se sont point hasardés à mettre le nez dehors. Pour beaucoup de familles, ce fut la ruine totale. Comme pour parachever leur vengeance, les hommes au pouvoir favorisèrent l'intégration de nouveaux métèques débarqués à Trou-Bordet sous le gouvernement précédent, baluchon sur le dos. Ils ne parlaient, soulignait-on, aucune langue humaine, d'où le sobriquet dont on les affubla : Hari-Chapacha-Boîte-Nan-Dos.

En fait, c'étaient des Syriens, des Libanais qui fuyaient les persécutions turques dans les provinces arméniennes. Ému de leur sort, on leur avait accordé asile et permis d'exercer le commerce de détail. Pour les habitants de Trou-Bordet, ce fut un spectacle bien curieux que celui de ces estampes exotiques. Pauvres épaves humaines, ils s'en allaient par les rues de la ville, chaussés de sandales, coiffés de turban, la boîte de carton au dos et étalant leurs menues marchandises sur la voie publique. De jeunes ours, des singes qu'ils faisaient danser au son de cymbales et de flûtes les accompagnaient pendant qu'ils se livraient au colportage jusque dans les bureaux publics. Ces nouveaux venus, usant d'artifices, débitaient de la pacotille pour de la marchandise de choix. Ce sont ces nouveaux métèques, ponctua avec mépris le bon père, que le gouvernement choisit pour remplacer la bourgeoisie commerçante autochtone ruinée. Ce sont ces nouveaux métèques qui ne tarderont pas à s'allier aux Cutts, aux Tuders, aux Mérorès, aux Welch, aux Simmonds, aux Keitel, aux Steinbugge, ressortissants européens, habitués du palais, familiers du pouvoir. Narcès Morelli mesurait maintenant toute la portée de cette leçon d'histoire et pouvait l'associer à la généalogie de sa propre famille.

Les jours qui suivirent la mise en demeure de Rebecca, Astrel Morelli devint lugubre. Il perdit le goût de boire, de manger, de se coiffer et de se vêtir. Aux bonjours et aux bonsoirs des filles, il répondait par grognements. Le matin, dès six heures, il allait s'asseoir sur le perron en ruine et, pensif, contemplait ce qui avait été son champ de fouilles. Absalon avait comblé de pierres et de terre ramenées du ravin le trou béant. Il avait même essayé de repiquer des plants de canne à sucre, semer du maïs, planter de la citronnelle et autres herbes aromatiques, comme avant.

Mais rien n'était plus comme avant, dans le « jardin » d'Absalon. Seule la bardane dansait le kalinda, battait la chamade avec la ronce et l'ortie. On ne pouvait s'y aventurer sans que mille petits fruits épineux ne s'accrochent aux vêtements et cheveux.

Astrel Morelli restait là, toute la journée. À Sylvain qui venait toujours l'y rejoindre avant de partir pour l'école, il parlait de son prochain voyage au pays de ses aïeux, les yeux rivés sur un point où il était persuadé que la jarre était ensevelie. Il verra Gênes, la superbe, ce port d'Italie où naquit

Colomb, ce grand capitaine qui amena jadis à Trou-Bordet notre aïeul Démétrius, Gênes qui étage ses centaines de palais, ses rues, ses quartiers sur les pentes d'un amphithéâtre de montagnes. Et si tu es sage, je t'emmènerai à Pise, la fière, ville du grand gibet et de la tour penchée, ville qui garde encore une allure de capitale d'où la vie s'est retirée, ville où naquit Galileo Galilei, homme de grand renom qui eut bien des démêlés avec l'Inquisition pour avoir affirmé le principe de la rotation de la Terre. Comme moi, il dut mettre fin à ses recherches « et pourtant elle tourne », et pourtant elle existe cette jarre pleine de carolus ; et si tu es sage, nous irons à Sienne, la bien-aimée, celle qui ouvre à tous son cœur, nous nous baladerons sur la Piazza del Campo où les pigeons s'ébattent autour de la fontaine de joie ; et si tu es sage, nous irons à Rome, la Ville éternelle, voir Rome et la transparence de sa lumière, Rome, berceau de la civilisation, Rome et ses fontaines jaillissantes, Rome et ses catacombes ; et si tu es sage, nous verrons Florence, la divine, ah ! Florence, elle rassemble toutes les formes de beauté, Florence où art et vie sont harmonieusement mêlés ; et si tu es sage, tu verras Vérone, la rouge, celle qu'immortalisa Shakespeare ; et si tu es sage, tes yeux verront Venise la fascinante, Vénus sortie de l'onde, point de fusion entre l'Orient et l'Occident.

Cet itinéraire traçait une carte de l'Italie, cette lointaine et mythique patrie où aucun Morelli depuis le bel Antonio n'était jamais retourné, mais à la vérité, cette Italie était celle des guides Michelin, nouveau livre de chevet d'Astrel Morelli. Sylvain serait resté toute la journée, assis là à côté du père, l'entendant parler comme jamais il ne le faisait avec les autres, si la voix de Rebecca n'était venue lui rappeler que l'heure de partir pour l'école avait déjà sonné. Il savait bien qu'elle ne voulait pas le voir traverser seul à cette heure les carrefours et qu'il fallait courir pour rattraper Noémie et Eva Maria avant qu'elles n'atteignent le bas de la côte.

Sylvain parti, Astrel se replongeait dans ses méditations. Absalon lui apportait là ses repas. Il les partageait avec les basilics. Ces grands lézards étaient avec lui d'une étonnante familiarité. Ils allaient jusqu'à grimper sur lui et c'était un spectacle hallucinant que de voir Astrel Morelli, à l'heure où le soleil flambait, son grand chapeau de paille créant une zone d'ombre autour de lui, couvert de ces sauriens. Il en avait sur les épaules, sur les genoux, ils s'aventuraient même à entrer sous la jambe de son pantalon. Astrel secouait alors le pied et marmonnait quelques mots inintelligibles pour les faire sortir.

Rebecca n'avait jamais vu ce spectacle. Tous les jours après dîner, elle se retirait avec Hortense dans la véranda. Elles s'occupaient des travaux de broderie, parlaient cuisine, entretien ménager, commentaient les derniers ragots de Trou-Bordet. Leur sieste se prolongeait jusqu'à l'heure du retour des plus jeunes de l'école. Depuis ce fameux jour où elle avait décidé de faire d'elle une femme, depuis qu'Astrel laissait tout aller à vau-l'eau, Rebecca avait bien changé. Elle n'avait plus le temps de se plaindre de ses mille maux que tous croyaient imaginaires : fièvre froide, rhumatismes aigus, maux de tête, aigreurs d'estomac ; aidée d'Hortense, elle parait à tout : les comptes, la domesticité, l'éducation des enfants. Le célibat prolongé d'Hortense pourtant « fille bien préparée » n'était pas le moindre de ses soucis.

Un après-midi, elle voulut, avant de se retirer dans la véranda, donner quelques ordres relatifs au souper. Elle emprunta l'allée bordée d'arbustes qui conduisait aux dépendances. Elle s'arrêta pour regarder le citronnier. Absalon lui avait dit la veille que, depuis qu'on y avait attaché la dinde atteinte de picage, il dépérissait. Des sons de voix parvenaient jusqu'à elle. Elle n'y prêta d'abord aucune attention, mais le nom d'Astrel accolé à des adjectifs grossiers la frappa. Elle décida de s'approcher doucement et d'écouter. La cuisinière et la blanchisseuse, une nouvelle recrue, parlaient de l'étrange comportement de M'sieu Morelli. Elles prétendaient qu'il était possédé du démon puisqu'il pouvait manger, boire et dormir avec ces basilics dont pourtant, a-t-on coutume de dire, le seul regard pouvait tuer. D'ailleurs, ajouta la blanchisseuse, elle ne les avait jamais vus aussi gros et tout à l'heure, alors qu'elle voulait étendre le linge blanc dans un endroit bien ensoleillé, une de ces dégoûtantes bêtes, laissant l'épaule de M'sieu Morelli où elle était juchée, faillit lui sauter dessus. Absalon, jailli d'on ne sait où, l'a retenue par la crête dorsale qu'elle décrivit immense. Elle ne resterait pas un jour de plus dans cette maison.

Rebecca voulut en avoir le cœur net. Elle alla jusqu'au « jardin d'Absalon ». Quelques minutes plus tard, Absalon la ramenait à la maison. Il la tenait dans ses bras, évanouie. Il appela Hortense pour la coucher. Ce jour-là, en rentrant de l'école, les deux plus jeunes ne virent pas Rebecca. Hortense demanda à Noémie de vérifier leurs devoirs et leurs leçons.

La maladie de Rebecca fut brève : vingt jours d'atroces souffrances. Les mille petits maux dont elle souffrait depuis longtemps, et que tous avaient cru imaginaires, semblaient l'avoir rongée, à dents de souris. Le médecin de famille, un vieux docteur du nom de Manolo, avait demandé des spécialistes en consultation. Leur verdict tomba raide comme un couperet : myélome. La malade n'en aurait plus pour longtemps, les centres vitaux étaient atteints. Dans l'entourage immédiat de Rebecca ce fut la consternation. Personne n'avait jamais entendu parler de cette forme de cancer atteignant directement la moelle épinière. Camphre, éther, morphine, rien n'arrivait à calmer les atroces douleurs qui la faisaient japper. Car elle jappait, en proie à de perpétuels délires. Ce sont les flammes que lancent les yeux des iguanes qui me consument, disait-elle. Il y en a des milliers dans la chambre. Elle implorait, alors, tour à tour Dieu, Allah, Mahomet son prophète, les loas pour qu'ils viennent la délivrer ; elle ne voulait plus demeurer dans cette vallée de larmes et de misères. Dans ses rares moments de lucidité, ses lèvres desséchées laissaient échapper de nouvelles plaintes : pourquoi la laissait-on nager dans ce bain de sueur ? Elle ne pouvait supporter cette odeur âcre de médicaments ni la moiteur de sa chemise de nuit. Elle ne voulait pas mourir sans revoir Gabriel. L'avait-on prévenu ? Cela faisait si longtemps qu'elle ne l'avait pas vu. Deux longues années, une éternité depuis qu'il était parti fuyant les sbires de la police. Il fallait qu'il revienne ; qu'elle lui remette les clefs de la maison ; qu'elle lui confie les filles et Sylvain.

La maladie de Rebecca laissa Astrel Morelli complètement indifférent. Un bruit sourd, une rumeur, une clameur parvint jusqu'aux oreilles d'Hortense : Rebecca était le prix que devait payer Astrel pour que la couleuvre dégage l'entrée de la jarre. Certains affirmaient même qu'à la faveur des nuits noires, Astrel Morelli se transformait en chauve-souris et allait se percher sur le faîte du grand mapou, lançant des hurlements de mort qui faisaient frémir tous les chrétiens du quartier. Le matin du dixième jour du lent calvaire de Rebecca, Absalon porta au bureau du TSF un télégramme à destination de Paris ; Hortense l'avait rédigé : « Mère mourante, présence indispensable ».

Gabriel arriva à Trou-Bordet le matin du vendredi saint, sans prévenir personne. Assis dans le taxi qui le conduisait de l'aéroport à la demeure ancestrale, il revit le film des événements qui avaient nécessité son départ précipité.

Tout avait commencé un matin de décembre 1956. Il avait alors vingt-deux ans et terminait nonchalamment des études de droit. En fait, ce qui l'intéressait, le passionnait même, c'était la chronique des activités artistiques et littéraires, « Presse-papier », qu'il tenait dans un des grands journaux de Trou-Bordet : *Le Miroir.* Cela le plaçait au cœur du Trou-Bordet mondain et lui permettait de rencontrer tous les artistes et intellectuels de passage dans la ville. C'est ainsi qu'il avait eu l'occasion d'interviewer Marian Anderson, Félix Leclerc, Jean-Louis Barrault et Madeleine Renaud. Il eut même la chance de couvrir un événement artistique important : une rétrospective mondiale de l'œuvre de Gauguin. Les questions sociales ne le préoccupaient pas beaucoup alors, mais la politique relativement musclée du général Kanson Fê, sobriquet dont on affublait le tyranneau de l'époque, la gabegie administrative, la corruption érigée en morale de gouvernement, la servilité envers les puissances étrangères, la concussion, le détournement des fonds publics en vue de l'édification éclair de fortunes scandaleuses furent des facteurs de cristallisation, de mécontentement et d'irritation de larges couches de la population et de plusieurs groupes d'intellectuels. Gabriel Morelli n'échappa pas à cette vague de fond.

Décembre 1956 marqua un tournant dans la vie de Gabriel Morelli. On assistait à Trou-Bordet à une montée croissante de troubles sociaux et politiques qui devaient durer une année. Il commença par protester, dans les colonnes du *Miroir*, contre les arrestations et matraquages d'étudiants. Peu à peu, la chronique de « Presse-papier » se transforma. Elle prit position contre le régime établi, contre les exploiteurs du peuple, pour les défavorisés. Gabriel Morelli fut le seul journaliste à avoir relaté les événements de la Saint-Jean, à s'être élevé contre la barbarie du général Thomson qui entre temps avec force combines et manigances s'était faufilé jusqu'au timon des affaires de l'État. Le lendemain de l'affreux massacre, il visita les bidonvilles et les faubourgs de Trou-Bordet, encouragea les survivants à se serrer les coudes, lança dans les colonnes du *Miroir* un appel aux citoyens de bonne volonté ainsi qu'une campagne de souscription pour aider à la reconstruction des bicoques incendiées. Le gouvernement militaire du général Thomson jugea de tels propos et de tels actes subversifs. Il fut arrêté. Astrel Morelli multiplia démarches et contacts auprès de quelques amis haut placés. Gabriel sera relaxé, mais il devra quitter le pays.

Indifférent au spectacle bigarré des différents quartiers que traversait le taxi, Gabriel revoyait la scène de ses adieux à Rebecca. Elle était dans sa chambre dont tout un angle était tapissé d'images saintes : le Christ, couronné d'épines, agonisant entre deux voleurs ; la Vierge des Douleurs baignée de larmes et du sang du Crucifié ; l'archange saint Michel, furieux, levant son glaive pour transpercer un Lucifer souriant au tableau du lucre qui s'offre à lui : des femmes violées, des hommes libertins et ivres ; Notre-Dame d'Altagrâce, tache brune au milieu de tous ces saints blancs. Quand il poussa la porte, elle était agenouillée et priait à mi-voix. Notre-Dame des sept douleurs pouvait comprendre sa souffrance, elle à qui on avait aussi enlevé son fils. Puisse-t-elle vivre assez longtemps pour voir le jour où, ô grand Michel archange, tu perceras de ton glaive glorieux les viscères de ces assassins, fils de putes qui divisaient les familles... Éclate, trompette de Jéricho ! Gabriel s'était approché, l'avait prise dans ses bras. Il n'avait emporté avec lui, à Paris, aucune photo de Rebecca. Mais, il s'en rendait compte maintenant, il n'en avait pas eu besoin. Car, même au milieu de l'agitation du boulevard Saint-Germain, il n'avait qu'à fermer les yeux et elle était là, devant lui, hallucinante !

Quel âge avait-il quand il vit pour la première fois une statue de Bouddha ? Quelque chose du dieu lui avait alors rappelé sa mère. Toute en rondeurs, elle n'était pas belle, Rebecca. Ou bien non, elle avait une beauté modeste, apparentée à celle des personnages de Rubens ou des anges de Botticelli. Un visage assez symétrique que caractérisaient de grands yeux noirs, illuminés de bonté et une propension à rougir, comme si elle se sentait toujours coupable, Dieu seul sait, de quelques fautes qu'elle n'avait sans nul doute pas commises. Jusqu'à vingt ans, il avait gardé l'habitude de venir cacher dans l'amplitude de sa poitrine ses chagrins, ses déceptions. Il aimait se lover dans ses bras potelés, s'y abandonner, se laisser bercer par la musique étincelante que laissait entendre, accroché à la gourmette de Rebecca, le cliquetis des médailles frappées spécialement pour l'année sainte, de l'effigie de la tour Eiffel et des signes du sagittaire taillés en relief dans des pièces d'or. De toute sa personne se dégageait un relent de timidité que beaucoup, Astrel le premier, attribuaient à tort à un manque de caractère. Rebecca mourut ce même vendredi saint de l'arrivée de Gabriel. Son dernier hoquet coïncida avec les « ténèbres », ce curieux vacarme organisé chaque année, à trois heures de l'après-midi, le vendredi saint. Étrange coutume ! À l'heure où les nefs des églises disparaissent derrière les braises de l'encens, à l'heure où les prêtres éteignent lumières et bougies, ferment portes et fenêtres, masquent les vitraux pour officier dans le noir, enfants et adolescents, eux, armés de pierres, de bâtons ou de barres de fer frappent tous les poteaux métalliques qu'ils trouvent sur leur chemin : poteaux indicateurs, poteaux télégraphiques, pylônes supportant les transformateurs électriques. Ils « battent les ténèbres ». Les proches trouvèrent heureux que ce tintamarre ait assourdi les derniers jappements de Rebecca. Une larme pour Rebecca Morelli, femme aux douleurs multiples ! Une larme pour Rebecca Morelli, femme de grand cœur !

À la grande indifférence manifestée par Astrel Morelli lors de la maladie de Rebecca, succéda un profond désespoir. Tous s'attendaient à voir, dès le lendemain des funérailles, réapparaître les pics et les pioches. Mais à la surprise générale, Astrel Morelli ne retourna jamais au « jardin d'Absalon ». Les premiers jours, les lézards, orphelins, tels des animaux domestiques fidèles, tristement s'étalaient sur le perron en ruine. Au moindre bruit, ils relevaient la tête espérant probablement la compagnie d'Astrel Morelli. À mesure que le temps passait, ils venaient moins nombreux. Puis un jour, ils disparurent de la propriété Morelli comme si quelque mauvais air les en eût chassés.

Depuis la mort de Rebecca, une nouvelle routine s'était installée chez les Morelli. Hortense avait remplacé Rebecca dans le train-train quotidien. L'après-midi, elle se retirait toujours sous la véranda pour l'instant de la sieste. Mais, dans la vieille bergère en face d'elle, il n'y avait plus le calme visage de Rebecca : Astrel Morelli s'était approprié sa place et Hortense, au lieu de la réconfortante voix maternelle, entendait les soupirs, plaintes et complaintes paternels. « Rebecca, ma femme, que t'ai-je fait pour me laisser ainsi seul ? J'ai toujours cru que mon tour viendrait avant le tien, Rebecca ! » Astrel Morelli désira mourir lui aussi, mais ses plaintes ne trouvèrent aucun écho auprès d'Hortense qui le soupçonnait de jouer, une fois de plus, une quelconque comédie.

*

* *

Une année presque entière s'était écoulée depuis la mort de Rebecca quand un nouvel événement vint bouleverser la vie des Morelli. Un matin d'avril, Edmond Bernissart franchit, pour la seconde fois, la barrière de la célèbre demeure des Morelli. Absalon l'avait conduit jusque sous la véranda où Astrel Morelli lisait son journal. Il ne daigna pas lever le nez pour répondre à son bonjour. Quand il fut certain que Bernissart avait fini d'exprimer la boucle complète de ses intentions et volitions, il posa lentement son journal sur ses genoux, enleva ses lunettes qu'il garda dans sa main droite et, détachant chacune des syllabes comme s'il voulait être sûr que Bernissart n'en perdrait aucune, il lui signifia une fin de non-recevoir et le pria de vider les lieux. À Noémie rentrant de l'école cet après-midi-là, Astrel Morelli annonça qu'elle ne mettrait plus les pieds hors de la propriété jusqu'à la naissance de son maudit bâtard. Les jours qui suivirent, Astrel Morelli devint encore plus lugubre. L'inhumation de Rebecca datait maintenant d'un an et d'une journée. Au moment où « La Voix de la République », par l'organe du speaker officiel, saluait la montée du drapeau, Absalon trouva Astrel Morelli, la tête penchée sur son épaule gauche, juché, ô surprise ! sur les trois marches d'escalier (mais où conduit-il cet escalier ?), à cet endroit précis où quelques années auparavant des pioches avaient fouillé obstinément les entrailles de la terre pour lui arracher ces fabuleux trésors qu'elle continue à cacher non moins obstinément... Ce matin-là, ce fut pour Astrel Morelli la fuite du jour.

Avec Sylvain, c'était donc la troisième fois que cette génération des Morelli faisait face à la mort.

4
LA RECONNAISSANCE DE DETTE

« JE PARLERAI… Je ne me laisserai pas étrangler par ces paroles qui gonflent dans ma gorge… Voilà une éternité que je vis dans cette maison, une éternité que je vous regarde, mademoiselle Hortense, aller, défiler et boire votre vie à petites lampées comme une eau de canne. Mais il faut que je parle. Il le faut. Je sais, vous ne pouvez pas comprendre. Je sais. Entre vous et moi, il y a des distances, des fonds de cale, des années-lumière. Je sais. Entre vous et moi, de lourds sédiments humains. Que faudrait-il faire pour les réduire à néant ? J'ai tant de fois rêvé que je rampais à quatre pattes, la nuit, jusqu'à votre lit, que je promenais mes mains le long de votre corps jusqu'à ce que se réveillent en vous des effluves, des orages et des cataclysmes. Peut-être au fond n'attendez-vous que ça, mademoiselle Hortense ? Mademoiselle Hortense !… Mademoiselle Hortense !… Longue comme une liane déliée, belle comme le devant du jour. Peut-être n'attendez-vous que ça ? Chaque pouce de votre corps incendié par Absalon de cris et de danses, peau, sang, chair et os, un incendie de cris et de danses. Hortense Morelli, aussi vrai que je vous ai dans les bras aujourd'hui, depuis toujours je rêve de déposer une nappe de paix en vous. Oui, c'est Absalon qui vous le dit, je ferai des nappes de paix en vous, des courants d'ambroisie et, face au ciel, vous connaîtrez, Hortense Morelli, ma sueur, mes odeurs et moi je connaîtrai vos resplendissantes mansions lunaires... Hortense Morelli, femme-terre, femme-eau, femme-vent, femme-éther, sortez de votre coquille d'ombre, réveillez-vous, réveillez-vous femme-vœu, femme-corps, femme-parole, femme-pensée, femme-reine, réveillez-vous, mademoiselle Hortense... » C'était cette litanie qu'Absalon murmurait entre ses dents, tout en la ponctuant de petites gifles qu'il administrait délicatement à Hortense.

Je me souviens, Absalon, de ce dimanche de la mi-août en chaleur, dimanche de la mort de Sylvain. Revenu de la séance dominicale de cinéma pour enfants, j'avais trouvé une maison bouleversée. Je ne comprenais pas exactement ce qui se passait et personne ne se souciait de ma présence. J'avais d'ailleurs l'impression d'assister à un autre film où en gros plan se détachait le visage livide de tante Hortense qui revenait progressivement à elle dans la clarté de l'après-midi, à son déclin. Elle était blottie dans les bras d'Absalon qui, délicatement, promenait ses doigts sur les orifices de sa tête : nez, yeux, oreilles et commissures des lèvres. Puis les doigts d'Absalon, lentement, encore plus lentement, glissaient le long du cou et s'arrêtaient, frappés d'interdit, à la naissance des seins de tante Hortense qui pointaient, turgescents, sous un corsage à moitié dégrafé. Cette scène, comme un tableau de Velasquez, je la revois, lentement, en contre-plongée avec alternativement une focalisation sur les yeux mi-clos de tante Hortense et sur la bouche charnue et fébrile d'Absalon. Le bruit d'un claquement de porte. Non. Ce n'est pas à proprement parler un choc sonore, mais un simple déclic, net, celui d'un pêne dans la gâche d'une serrure. À ce bruit, tante Hortense, le buste blotti dans l'ovale formé par les jambes d'Absalon, accroupi à la turque, leva la tête et regarda les yeux encore emplis des brumes de l'inconscient, la porte d'entrée. « Belle merveille ! Cette maison est un véritable théâtre des merveilles », s'esclaffa une jeune femme, debout dans l'encadrement de la porte. « Noémie, supplia tante Hortense essayant de se relever avec l'aide d'Absalon, Noémie, ce n'est pas le moment de plaisanter, entre et viens t'asseoir. » L'éclairage terne de la pièce contrastait avec la lumière rougeâtre du couchant qui dehors embrasait le jardin.

Cette femme, debout dans l'embrasure de la porte, c'est ma mère. Elle est très belle, ma mère, avec sa peau couleur de caïmite mûre, sa croupe longue, souple, flexible, ses grands yeux noirs taillés en amande. Une flamme vive, une liane sauvage, péremptoire, agressive. À chaque fois qu'elle passait le seuil de sa demeure familiale où tout est si terne, si morne, les gens et les choses, je pensais à cette gravure de mon livre d'histoire générale : une jungle pénétrant les ruines d'Angkor. Ma mère n'avait pas d'âge. Il dépendait des heures du jour, des rencontres faites au cours de ses multiples sorties, de la joie ou de la déception que lui apportait l'instant présent pour qu'elle parût d'une excessive jeunesse ou d'une grande maturité que, du haut de mes dix ans, j'assimilais à la vieillesse, comme si jeunesse et vieillesse n'étaient pour elle que des parures interchangeables qu'elle revêtait selon les circonstances.

D'où viennent ces images étranges qui hantent mes nuits et que j'associe toujours au visage de ma mère ? Quand je pense à ses allées et venues, je vois défiler dans ma tête des dispositifs pour voyeurs, des fouets, des chaînes, des préservatifs au quart remplis de sperme frais, des phallus en caoutchouc, car rien ne manque au décor que l'on devine ancien mais que l'on voit comme une maquette exposée dans une foire touristique. Dans ma tête, je vois une maison en surplomb comme dans une photo aérienne. Mais d'où me vient cette tenace impression que je retire de ma mémoire ? Un lieu purifié comme si, avant de tracer le carré de la maison dont les orifices s'ouvrent sur les quatre points cardinaux, le terrain avait dû être déblayé de ses cailloux, de ses arbres, de tous les restes organiques qui pouvaient s'y trouver. Il est en effet plat, uni et, par son aspect, il souligne qu'il s'agit là d'un lieu purifié de tous les signes ou symboles qui favorisent la chute ou l'attachement à la vie, un espace incorruptible où s'accomplit le passage de l'un au tout, de la nuit à la lumière. Les divisions fondamentales de la superficie intérieure sont tracées en suivant deux lignes principales qui vont du nord au sud et de l'est à l'ouest. Le centre, un carré, une pièce qui tient office de salon. Au-dessus des portes, sur les quatre murs, au plancher, on trouve, peintes en couleurs vives, les réalités les plus hétéroclites, le président de la République et son épouse sont représentés avec des yeux rouge vif, la tête en bas, mains et pieds rongés, déformés, on y trouve, sans ordre aucun, des organes de perception, d'évacuation ou de génération. Mais au plancher, au centre de la pièce, bien incrusté dans le sol, un miroir de pur style chinois décoré de dessins cabalistiques. Au plafond, un trou irradie de la lumière. Est-ce un cadran solaire ou simplement des schémas de l'univers ? Le miroir donne à voir des graphes ciselés qui représentent l'étoile Polaire, le ciel rond, la terre carrée, quatre portes d'un palais de roi. Au centre du miroir et à regarder de près, l'on peut lire l'inscription suivante : *Puissent vos enfants et vos petits-enfants contrôler le centre ! Vous gravissez la Montagne. Devant vous les hommes divins : ils se partagent le Bouc ; ils boivent à la source limpide, le nectar de Canne ; ils ont conquis les voies du Ciel ; ils attachent l'Archange à leur char ; ils chevauchent les nuages errants ; puissiez-vous avoir dignité et charges ; puissiez-vous préserver vos enfants et vos petits enfants !* Sur le pourtour de cette pièce, disposées dans trois cercles concentriques, des chambres meublées d'un même mobilier. On peut les compter. Elles sont au nombre de vingt-quatre et chacune possède un lit avec des draps de Siam blancs, une petite table coiffée d'une cuvette à eau et d'une fragile lampe à kérosène. Leur dépouillement, leur caractère elliptique faisaient penser à un tableau de peintres naïfs, à Louverture Poisson en particulier. D'où me viennent ces images qui habitent mes nuits, que je tourne et retourne dans ma tête, sans pouvoir les expliquer ?

Ce dimanche d'août, ma mère portait une de ses robes fleuries qui lui seyaient tant, elle-même immense fleur sauvage au milieu de ce minuscule jardin. Ma mère avait écouté sans bouger le récit de tante Hortense. Assise de biais sur une chaise du salon, sa tête, comme si elle était devenue subitement trop lourde pour que son cou qu'elle avait pâle et long puisse en supporter seul le poids, reposait sur les paumes ouvertes de ses deux mains. Sa bouche était comme emplie d'une salive qu'elle essayait d'avaler sans y parvenir ; sa gorge barrée en refusait le passage. À côté d'elle, tante Hortense effondrée disait : « ... et Gabriel qui n'est pas là. À la mort de Mère puis de Père, c'est lui qui avait tout organisé. » Absalon conseilla à tante Hortense d'aller dans sa chambre se reposer. Les jours qui suivront seront durs et pénibles. Il lui faudra tout son courage pour les affronter. Noémie Morelli était maintenant seule dans la grande pièce du salon qu'elle arpentait d'un pas nerveux. Soudain, elle s'arrêta, leva la tête et fixa, les yeux remplis d'effroi, la photo d'Astrel Morelli. D'une voix enrouée, caverneuse, elle murmura : « Père, non, pas cela… Ton regard est aussi dur que celui que tu posas sur moi, ce Jour, il y a dix ans… Tes mots cinglants sifflent encore à mes oreilles… Putain, avais tu crié, fille d'hyène et de hibou borgne, tu ne feras donc jamais rien de bien dans ta vie… Père, ne me demande pas cela… » Les efforts désespérés qu'elle faisait pour retenir ses sanglots lui donnaient un drôle d'air que je ne lui connaissais pas. Elle recula jusqu'à faire corps avec le mur et resta là, immobile pendant un temps qui me sembla une éternité, la tête baissée. Quand elle se releva, je ne reconnus plus ma mère. Les traits de son visage avaient durci ; deux grands plis barraient horizontalement son front tandis que les commissures de ses lèvres se tordaient et s'affaissaient. Ses yeux brillaient d'un éclair d'acier et on pouvait y lire une farouche détermination. Puis, les épaules voûtées, elle se dirigea lentement vers l'escalier conduisant aux chambres à coucher, se mit à en gravir pesamment les marches. « Jour et nuit sont un, murmurait-elle, le bien et le mal sont un ; un le commencement d'un cercle et sa fin. » Noémie Morelli avait mille ans.

*
* *

113

Peu après le chant matinal des coqs, s'était mis à se déplacer dans la maison un personnage encombrant : visage replet, trois plis entre les arcades sourcilières, la bouche fine tétant un havane presque éteint sur un triple menton, veste et pantalon bleu zéphyr, grandes bottes de cuir montant jusqu'aux genoux. Il marchait d'un pas lourd et inspectait méticuleusement le mobilier. À l'observer, on sentait qu'il remuait avec sa personne, cou triple, ventre enflé, fesses protubérantes, des années de brocante et d'usure. Il était suivi de très près par un jeune homme maigre, cadavérique, qui obéissait à l'œil et au doigt. Je peux l'affirmer parce que, de temps à autre, je le voyais se retourner et esquisser de l'index un geste pour signifier qu'il prenait telle pièce et non telle autre. Le jeune homme filiforme approuvait d'un signe de tête. Manifestement, il avait bien compris, sans paroles, les choix du maître. « Tout ceci, je le fais pour vous aider, mademoiselle Hortense, en mémoire de votre père ; je l'ai bien connu : honnête homme s'il en est en ce bas monde. » Le brocanteur marmonnera cette phrase, comme un leitmotiv, tout au cours de son inspection. À deux ou trois reprises, frôlant le corps de tante Hortense, il laissait glisser ostensiblement deux ou trois soupirs : « Aïe ! Aïe ! Aïe !… Tout ceci, je le fais pour… pour vous aider, poursuivait tante Hortense avec irritation. Mademoiselle Hortense, en mémoire de votre père. Changez de ritournelle, monsieur, celle-là me casse les pieds. » Le brocanteur, voyant qu'il faisait là un bide, se mit à caresser sa bedaine et d'une voix qui avait changé totalement de registre : « De nos jours, les funérailles coûtent cher, mademoiselle Hortense, et ces meubles, malgré leur valeur, ne se vendront pas comme des petits pains. Ce qui marche actuellement, c'est le chromé et non le bois, si précieux qu'il puisse être... » Tante Hortense agacée, agressive : « Alors ? » demanda-t-elle. La voix du brocanteur changea encore de registre : elle était mi-onctueuse, mi-cynique : « Vous savez, mademoiselle, notre prix est toujours un prix de gros. Si vous consentez... Ah ! Mademoiselle, quel malheur, quel grand malheur vous est tombé dessus... Si vous consentez à me laisser le tout pour cent cinquante dollars. » Ce prix résonna dans l'air comme une cravache. « Quoi ! » s'esclaffa tante Hortense. Le brocanteur ne fut point désarçonné. Il réitéra : « Oui, cent cinquante dollars. Belle mademoiselle Hortense, je vous comprends... La solitude... Courage ! Courage ! Tout ceci je le fais au nom de la grande admiration que j'avais pour votre père... » Tante Hortense, à bout de nerfs, mit fin brutalement à la conversation : « Prenez le tout et débarrassez le plancher. Je suis fatiguée. » Petits rires hystériques du secrétaire qui fit signe à Absalon de lui prêter main-forte pour transporter le mobilier jusqu'au camion dont on apercevait la silhouette dans la cour, à travers une porte entrebâillée... Le camion ne tarda pas à démarrer en trombe. Tante Hortense qui n'était pas une femme vulgaire, même au plus creux de sa profonde détresse, emploiera une formule alambiquée qui traçait sans coup férir le destin de ce brocanteur de malheur : « Qu'il soit abandonné sans gloire dans l'un de ces palais situés entre cour et jardin, inséparablement associé à la mémoire de l'empereur Vespasien ! » En langage vernaculaire, elle l'envoyait tout simplement chier.

*
* *

La famille est prête pour les funérailles qui auront lieu avec les rites habituels. Ils sont connus : cortège de gémissements, de cris, de beuveries, de rires et de tambours. La mort à Trou-Bordet est conjurée par l'affrontement. C'est un espace de la connaissance des limites, du pourtour des gouffres. Assurément, on fera mander le prêtre pour l'eau bénite ; on fera venir, du bas de la ville, des ébénistes expérimentés, des artisans reconnus pour le travail de l'ébène et du marbre. Ils fabriqueront le cercueil, rafraîchiront la spacieuse sépulture familiale où de lustre en lustre les places sont occupées et graveront un nouveau nom, celui de Sylvain Morelli, sur la stèle. On se rassemblera pour écouter des contes, échanger des devinettes, des jeux de mots ; on tiendra même des propos obscènes. Tout cela, dans une ambiance de défi, de provocation, d'indifférenciation où la mort fournira une occasion de célébrer la vie.

Six heures du soir, la pièce est vidée de son mobilier habituel. Au centre, on a installé un catafalque sous une couverture noire. Silence assez marqué mais traversé par à-coups de murmures et de toussotements. Ce sont des groupes de gens, des personnages que l'on retrouve, ici et là, au salon, sur la galerie, sous la pergola, immobiles dans l'embrasure de la porte, assis sur des chaises à fond de paille, en cercle fermé. De temps à autre, ils se déplacent pour effectuer un geste de génuflexion et se signer de la main droite, lentement, devant le catafalque. Ce groupe ici rassemblé est un microcosme de la ville : les pompes de l'or, du violet et du grenat, les chromes de l'argent, des tissus et des vivres, les simulacres des cravates, des écailles et du cuivre. Trou-Bordet tout entier est représenté, sublimé, fantasmé, dans l'odeur et la fumée de l'encens et des cierges allumés. Les femmes Morelli drapées dans leur dignité et leur douleur tendent le bout des doigts à des voix qui murmurent sur un ton monocorde : « Mes condoléances ». Les femmes Morelli, à tour de rôle, laissent tomber laconiquement un « Merci » qui détonne subrepticement avec le rituel. Dans un coin de la pièce se tient, dans son uniforme tiré à quatre épingles, Tony Brizo, le commandant de Fort-Touron.

Dans la gloire de son pantalon de coutil bleu rayé de blanc, sabre au côté, chevalière et bracelet d'or discrets, chemise de soie ornée de ses initiales, épaulettes et médailles, moustache à la Hitler, deux rides aristocratiques, shako bleu marine à passepoil doré, la cinquantaine alerte, pratiquement sans embonpoint, Tony Brizo cumulait un haut grade dans la nouvelle armée et la confiance absolue de la Maison présidentielle. Disert au-delà de toute espérance, il ne se dérobait point aux questions mais il fallait éviter, dans toute la mesure du possible, de lui passer spontanément la parole, parce qu'il ne vous resterait à utiliser qu'uniquement les secondes fugitives durant lesquelles il inhalait la fumée de sa cigarette Camel ou avalait une gorgée de whisky sec, toujours du Chivas Regal. Cheveux bruns soigneusement ramenés en arrière, calamistrés, gominés, Tony Brizo évoquait indéniablement les séducteurs hollywoodiens d'avant-guerre, un féal d'une époque révolue qui n'eût point déparé les réceptions que donnaient les hidalgos cubains dans leur hacienda de l'époque coloniale. Ses adversaires le présentaient comme « celui qui brise les os » des opposants au régime. Il avait la réputation assise d'être un fasciste impénitent, un américanophile, agent de la CIA militant et agressif.

Dans un coin, il s'entretient avec Théodat Jean-Louis, tout en regardant avec insistance Noémie Morelli : la Sécurité nationale n'est pour rien dans la mort de Sylvain Morelli. C'est une famille respectée, même si elle est contre le gouvernement... Gabriel Morelli est une tête chaude. Ce n'est qu'une petite correction qu'on lui inflige, sous l'ordre du président de la République. Il sera bientôt relâché... Voyons donc, l'unité nationale n'est pas menacée ; il n'y aura pas de guerre civile maintenant que nous avons extirpé à jamais, depuis 1968, la mauvaise herbe communiste. D'ailleurs, Son Excellence, lui-même, est très sensible à cet aspect de nos réalités. As-tu vu à qui il a marié sa seconde fille ?... Tony Brizo, avec la mine qui convient en de telles circonstances, est blindé d'arguments contre les questions de Théodat Jean-Louis, qui portent sur la démocratie, « le peuple n'est pas mûr pour la démocratie », dit Tony Brizo d'un ton péremptoire, la présidence à vie, la déchirure du tissu social. C'est au nom d'une vieille amitié que parle Théodat Jean-Louis qui avait connu Tony Brizo au temps lointain du lycée, « ça fait du bien de te revoir, mon cher Théo », au temps lointain où tous deux foulaient, d'un pied également poudré, le macadam inégalement goudronné. Théodat Jean-Louis ne se laisse pas entraîner sur les pentes nostalgiques et ensorceleuses de l'enfance magicienne. Profitant d'un bref instant, Tony Brizo allumant une nouvelle cigarette, il fait une petite tirade sur l'image que le pays offre aux nations occidentales, le culte rétrograde de la personnalité, l'omniprésence du chef de l'État. « Là, je t'interromps, mon cher Théo. Tu la remarques, cette présence, parce que c'est justement cela que tu cherches ! En réalité, tu ne connais pas le président. C'est un homme absolument modeste, presque timide. Crois-moi, mon cher Théo, il n'a pas levé le petit doigt pour arriver là où il est. Certains jours, je le vois accablé de tant d'honneurs. Ce n'est pas lui qui a voulu la présidence à vie. C'est le peuple qui l'a proclamée. Mon cher Théo, tu n'imagines pas sa sollicitude. Elle est infinie pour nos concitoyens. Tiens ! Il y a quelques jours, je lui faisais remarquer que le week-end s'annonçait mal, avec toute cette pluie, la lavasse, les inondations. Sais-tu ce qu'il m'a répondu ? Qu'il ne faut pas dire cela ; que la pluie est bonne pour les paysans, leurs cultures. Le croiras-tu, mon vieux Théo, le président lorsqu'il inaugure — il abhorre les cérémonies de pose de première pierre — eh bien ! son amour de la patrie est tel qu'il refuse de couper le ruban. Il le dénoue... »

Théodat Jean-Louis, opiniâtre, insiste. Visiblement, il gêne le commandant Brizo : le pays et sa régression assurée. « C'est un pays en voie de sous-développement. » Cette phrase sur les lippes charnues de maître Théodat Jean-Louis a une connotation de barbarie ; il n'en démord pas. Brizo réplique vivement « exagération, exagération, mon cher ! » et même il parle de la « mauvaise foi » proverbiale des « camoquins », expression locale servant à surnommer les ennemis du gouvernement. Théodat Jean-Louis n'abandonne pas pour autant le terrain, comme cela serait indiqué. Même, il porte la discussion à un cran plus élevé. Il coince Brizo dans une diagonale d'arguments, suivie d'un feu nourri d'exemples, d'illustrations, les prisons, la torture, le camp de la mort blanche, multiplie ainsi des allusions à peine feutrées à la besogne innommable qu'exécute Brizo à Fort-Touron. Le voile est déchiré, les frontières franchies. Théodat met le paquet, sort les artilleries lourdes : l'asservissement à Washington, la concussion, le pillage, la corruption. Brizo écume de rage. Tout passe dans la conversation, radicalement tout. Théodat peut se permettre cela avec Tony Brizo, son copain « Ton », comme il l'appelle familièrement. Il peut se permettre de lui dire tout car ils ont foulé ensemble l'asphalte au temps lointain de l'enfance et de la turbulence. Il peut même se permettre de dépasser la mesure, au nom de leur camaraderie logée à l'enseigne des quatre cents coups de naguère, le long de leur adolescence aux pieds poudrés. Brizo sonné, groggy, avec un reste d'énergie, développe systématiquement la thèse géopolitique, la doctrine de Monroe et c'est le bouquet, il a recours à un passage de Lénine, l'impérialisme et le stade suprême, et c'est le coup ultime, l'évocation de la célèbre phrase du début du *Manifeste* : « un spectre hante l'Europe », marquant, croit-il, un point : pour lui, c'est clair comme de l'eau de roche, Marx avait pensé le communisme pour l'Europe et non pour l'Amérique latine. C'était là frapper Théodat d'un solide uppercut. Théodat prit une grande respiration ; il devenait urgent de mettre fin à ce combat et de façon honorable. Debout, il lança directement au visage de Brizo : « Tu es un démagogue, Ton, sauve ta patate mais ne me présente pas la lune pour du fromage… » Attirés par les éclats de voix, des gens se détachèrent des groupes voisins pour se joindre à eux. La discussion, alors, dévia. Avec aplomb, Tony Brizo revint au suicide de

Sylvain Morelli. Il évoqua les multiples visages du défunt, malgré son jeune âge. Il célébra sa beauté, sa brillance. D'autres rappelèrent, au passage, qu'il a toujours été lauréat de sa promotion à l'école. On loua sa sensibilité, l'éclat de sa démarche, sa sveltesse de toréador et le charme qu'il exerçait sur toutes les gazelles de Trou-Bordet. Bref, enfin une petite larme sur l'avenir auquel il aurait été promis. Bref, les figures de Sylvain Morelli firent le tour de la veillée sous la lumière ocre des cierges allumés.

Par à-coups, en provenance de la cour arrière, on percevait un léger bruit creux, on dirait celui d'une planchette de bois frappant une caisse vide. En fait, c'était Absalon. Dans le clair-obscur d'une lampe à kérosène, il jouait aux dominos avec d'autres domestiques du quartier. La partie était très animée et chaque séquence, de temps à autre, ponctuée d'une exclamation : « Double-six ! » L'horloge d'une église égrena lentement les onze coups d'avant minuit. Collation, café et citronnelle étant épuisés, la veillée battit de l'aile ; la maison se vidait. À Trou-Bordet, on est plutôt couche-tôt. Ce fut ce moment que choisit Noémie pour se détacher du groupe des femmes Morelli et se rapprocher de Tony Brizo : « Commandant, vous m'avez toujours dit que la libération de Gabriel avait son prix. Je suis prête à le payer. »

*
* *

Le lendemain, Absalon sortit tôt. La demie de huit heures avait déjà sonné quand il arriva au bas de la ville. Il fut surtout frappé par le paysage.

Le jour nimbait de suie les robiniers sauvages. Était-ce vraiment le jour ou la fumée que dégagent les cheminées de l'usine sucrière ? Dans ces parages, les fleurs sont rares. Arbres et maisons, hommes et bêtes portent les stigmates de la bagasse. Cette substance noire, résidu de déchets de cannes brûlées, auparavant fermentées, imprègne l'air au point de le rendre irrespirable et s'accompagne d'une indescriptible puanteur étale, prégnante. Ce côté-ci de Trou-Bordet pullule et grouille de monde comme des fourmis dont on vient de saccager la fourmilière. Le quotidien est enveloppé dans un cycle féroce, sans failles, d'habitudes englobant l'imprévu. Tous les ingrédients essentiels à une toile de Prefette Dufault s'y retrouvent, grouillant là : les dédales, la foule, les inconnus, le bruit, les travaux et les jours et l'on ne saurait oublier les camionnettes, les piétons, les taxis, les charrettes inventant d'impossibles trajets, luttant pour s'ouvrir un chemin au milieu de toutes sortes d'obstacles, obéissant à un jeu d'arcanes et de chicanes, à un code secret, inconnu, changeant.

Non loin, Fort-Touron, à quelques pas de l'usine sucrière. Construit sur une lande prise à la mer, Fort-Touron date de l'époque coloniale. Restauré sous l'occupation, Fort-Touron représente l'emblème de l'établissement pénitentiaire le plus infernal que les

Américains aient laissé dans ce pays. Jumelé à un camp d'entraînement militaire pour soldats et miliciens, la prison de Fort-Touron détient un triste record : six mois d'espérance de vie pour celui qui franchit son enceinte comme prisonnier. Haut-lieu de la torture, de la réduction à des conditions de vie infra-humaines et de l'exécution sommaire, comparable en cela à Auschwitz ou à Alcatraz, Fort-Touron c'est le camp de la mort blanche.

Tony Brizo, dans ce camp, est l'exécuteur des grandes œuvres du régime. Avec son adjoint Taillefer, il fait régner une étrange paix en ces lieux. De mémoire d'Absalon, il ne se souvient pas qu'on ait relaté une mutinerie, une révolte de détenus, une évasion qui auraient défrayé les chroniques de l'actualité. Fort-Touron a quelque chose de commun avec les oubliettes des Borgia, la fosse aux lions d'Agrippine, la tour mémorable de Londres. Une croix au bas de chaque nom enseveli dans ces remparts ! Fort-Touron, une enceinte fortifiée, à peine éclairée : tout l'appareil de répression du régime fleurit et se développe sous la gouverne de Tony Brizo et de Taillefer, l'innommable !

C'est par un caporal maigre et boutonneux qu'Absalon fut introduit dans le quartier général, peut-être serait-ce plus juste de parler de l'antre, de Tony Brizo. Dès qu'il pénétra dans la pièce, il fut surtout frappé par le mobilier, plutôt sommaire. Au milieu de la salle, un bureau en acajou orné d'un téléphone de couleur noire et d'un appareil enregistreur ;

au fond, à l'angle gauche de la pièce, un bureau de qualité inférieure (en bois blanc), une machine à écrire, pas de téléphone. Absalon pouvait affirmer que c'est le jour, seulement parce qu'à travers l'unique fenêtre sans rideaux, des persiennes, quoique fermées, laissaient filtrer la clarté du soleil. Sur chaque bureau, un néon était allumé. Un homme, visiblement le commandant de la place, essayait de concentrer son attention sur la lecture d'un journal qu'il tenait de sa main gauche, en époussetant par à-coups de sa main droite et d'un geste furtif sa chemise et son pantalon. Il était habillé avec soin, ses deux pieds déposés sur le bureau du côté gauche, de sorte que, assis sur ses reins, il n'aura qu'à lever la tête pour communiquer avec son adjoint au cours de la conversation qui suivra. Cet homme, Absalon le reconnaît au premier coup d'œil, c'est Tony Brizo, oui, certifié, le même homme, à n'en point douter qui, à la veillée de Sylvain Morelli dans un pantalon de coutil rayé bleu et blanc, chamarré, galonné, représentait, disait-on, la Maison présidentielle. Aujourd'hui, il est dans son décor habituel, le Fort-Touron dont il est le commandant en chef. Ces lieux sont des lieux tristes ; ce sont des espèces de tapisseries de Pénélope, sans arrêt défaites par les tortionnaires et dont les fils sanglants sont obstinément réunis nuit après nuit. L'adjoint : un nom sans prénom, un nom qui fait image et dit tout : Taillefer.

Bien que ce fût la première fois qu'Absalon se trouvait en présence de Taillefer, il l'identifia immé-

diatement. Le tortionnaire — on ne sait pas pourquoi — est-ce son allure, sa posture ou simplement
que ses faits et gestes sont connus de la criée
publique, que son portrait-robot circule dans la
mémoire populaire, le tortionnaire a la spécialité de
s'offrir à la saisie immédiate de la conscience. Toute
perception d'un tortionnaire est d'emblée une
reconnaissance. L'homme, au jugement d'Absalon,
avait une cinquantaine d'années, les cheveux blancs,
tout au moins ce qui lui en restait, car tout le milieu
du crâne était lisse comme une piste d'atterrissage :
« Mon commandant… comme ça… dans la rue…
Cette tête chaude, cet anarchiste, comme vous dites
si bien… » Tony Brizo, le commandant, coupa sec
l'adjoint : « Sergent, mêlez-vous de vos oignons ! »
Son regard se posa sur un titre de journal —
Absalon lut : BACCALAURÉAT, DISSECTION D'UNE
CATASTROPHE. Il avait l'impression que le commandant parcourait une partie du texte sans toutefois
arriver à se concentrer. Plus tard, Tony Brizo
confessa à Noémie Morelli que son image ne l'avait
pas quitté depuis qu'elle lui avait parlé, lors de la
veillée de Sylvain Morelli. L'image avait la valeur
d'une obsession. Il la voyait rire, les bras écartés au-
dessus de la tête qu'elle renversait en arrière, le
regard tendu au plafond. Alors lui, Tony Brizo
s'approchait d'elle, s'agenouillait et enfouissait son
visage dans la toison tiède de son pubis. L'adjoint,
coiffant une visière pour protéger ses yeux contre la
vive lumière du néon, revint à la charge : « Mon

commandant… ce n'est pas possible. » L'adjoint Taillefer parlait d'une voix traînante, un ton de supplication presque. Le commandant lança énergiquement : « Sergent ! » Son regard se posa sur un autre titre du journal — APPROPRIATION, ET DÉVELOPPEMENT AGRICOLE — il fixa les yeux sur un fragment du texte. Absalon était maintenant certain : le commandant ne lisait pas vraiment, il parcourait du regard. Cela faisait deux ans que Brizo tenait Gabriel Morelli en otage. Il avait été patient. Il savait que, tôt ou tard, il finirait par gagner. L'adjoint demeura perplexe.

D'un doigt, l'index, il fouilla avec nonchalance et détachement une de ses narines ; ses yeux s'étaient métamorphosés en deux trous qui débouchaient sur un vide, sans objet. Le commandant, lui, gardait le nez collé à son journal : « Les ordres sont les ordres, mon cher Taillefer. Si le président juge que Gabriel Morelli doit être libéré, je ne peux pas m'y opposer, voyons donc. » Il y eut un moment de silence, laminé par le bruit strident de l'hélice du ventilateur accroché au plafond. L'adjoint, à ce moment-là, crut apporter une information capitale au commandant : « Mon commandant, ce n'est pas un chrétien vivant qu'on libère là. Si vous voyiez son état. Gardons-le encore quelques jours, peut-être qu'il se remplumera,… Sergent ! » Tony Brizo lança le journal dans la poubelle placée sous le bureau. « Oui, dit-il, on attendra la tombée de la nuit… » Puis il fit basculer le fauteuil et pencha son corps vers l'arrière, le revers de ses deux mains servant de support à son cou, ses deux yeux regardaient tourner, sans les voir, les hélices du ventilateur. Taillefer se leva, prit le paquet qu'Absalon tenait serré dans ses bras depuis son entrée dans la pièce. « Ce sont des vêtements… » commença à marmonner celui-ci. Taillefer lui coupa la parole sèchement et le congédia.

Les heures qui ont suivi la mort de Sylvain défilent dans ma tête comme un long cauchemar. J'ai souvent essayé de les oublier, de les réduire à néant, mais je ne parviens qu'à endormir ces souvenirs pénibles qu'un rien suffit à réveiller. Les funérailles de Sylvain avaient été chantées à la basilique, le mardi à quatre heures de l'après-midi. C'était l'heure rituelle des funérailles à Trou-Bordet, cette coutume est même devenue proverbiale, « qu'on le veuille, qu'on ne le veuille pas, l'enterrement est pour quatre heures », dit-on, à chaque fois que l'on veut signifier l'inéluctable. Je revois le catafalque recouvert de son drap noir orné de franges dorées. Il était dressé entre six cierges chaussés de chandeliers géants en or massif. Des gerbes de fleurs rouges : condoléances éplorées, regrets éternels. Le nom de la famille Morelli inscrit sur des rubans mauves. Les hommes pressaient le bout des doigts d'Eva Maria, de ma mère et de tante Hortense, les femmes les embrassaient sur le front ou sur la joue et tout ce monde murmurait à tour de rôle « Condoléances !… Condoléances !… Courage !… »

Des femmes étouffaient des sanglots dans des mouchoirs blancs bordés de dentelle noire.

Quand nous avons quitté le cimetière, c'était déjà la nuit, la nuit épaisse et tourmentée de la Caraïbe. La ville avait déjà allumé ses lucioles. Elles scintillaient doucement comme des pierreries.

Voici la rue quotidienne. Pour moi qui ne l'avais jamais vue, à cette heure, elle avait changé de visage. Elle était devenue un décor peuplé d'ombres simiesques. Voici le cri d'une petite fille. Elle pleure dans le noir. Une voiture s'enfuit par un trou du paysage. Une putain, goutte de lumière sous un lampadaire, sans client, vieillie, avachie, fouille dans la cendre de ses illusions. Une autre, ivre à crever, pisse debout à trois pas d'une clôture de treillis métallique. Voici le temps, ponctué de miaulements de chatte borgne. Le temps s'égrène en sourdine. Ah ! Le temps, que chacun en prenne pour son compte.

Voici la grande barrière en fer forgé. Absalon est déjà là, prêt à l'ouvrir. Voici le salon où l'on avait dressé la chapelle ardente. Elle avait masqué jusque-là le vide qu'avait laissé le brocanteur en emportant canapés, fauteuils, tables à café, tables de coin qui l'avaient toujours orné. Certains de ces meubles dataient de l'époque coloniale. Importés d'Italie ou de France, ils avaient fait l'orgueil des Morelli.

Personne ne pense à manger dans cette maison. Moi, réfugié selon mes habitudes sous les plis de la lourde draperie de velours rouge, ultime vestige d'une splendeur passée, je broie ma faim en regardant distraitement par la fenêtre. J'entends la voix rauque d'Eva Maria parler de Sylvain, le benjamin qu'elle a fait sauter sur ses genoux, qu'elle a tant caressé, tant dorloté, Sylvain son frère, son enfant. Sans transition, elle change de sujet. Je ne saisis qu'imparfaitement le sens de ses mots : « Hortense ! Hortense ! Hortense ! murmure-t-elle, entends-tu le bruit des balles, les cris des enfants ? Hortense, cette foule en haillons traversant la cour de la maison pour se réfugier dans la montagne, plaie vive ?... Hortense, tu t'en souviens, c'était en juin. Ils avaient brûlé les maisons et leurs chars d'assaut crachaient des balles à hauteur de lit. Entends-tu le bruit des balles, Hortense ?... Oui... Gabriel était magnifique : il n'y a eu que lui à avoir protesté... Mais que peut la parole face aux mitraillettes, aux casques d'acier, aux bottes ? Que peut la parole ? Hortense ? » C'est d'une voix criarde qu'elle prononce cette fois le nom de tante Hortense. Cette voix déchire l'air.

J'écarte les plis du rideau pour voir ce qui se passe. Quels mots utiliser pour décrire la douleur qui, à cet instant précis, est peinte sur son visage ? Soudain son expression change, ses grands yeux noirs s'embrouillent, se remplissent de vide.

Je reviens à ma fenêtre. De nouveau la rue, une rue quotidienne, un lampadaire désert et le parfum d'ylang-ylang de la nuit caraïbéenne ponctuée de silences et de douleurs multiples. Une ombre effilochée longe la clôture. L'ombre s'écarte du trottoir et trébuche. Elle se redresse lentement : on dirait qu'elle danse une marelle.

Crissement à peine audible de la barrière qui glisse sur ses gonds. C'est un familier qui l'a poussée. Ceux qui ne sont pas des habitués de la maison ne savent pas qu'il faut soulever la barrière en la poussant, autrement elle manifeste, en geignant bruyamment, leur présence. Un bruit de pas. De mon poste d'observation, je ne peux voir l'entrée mais j'entends distinctement le bruit d'un pas d'homme traînant sur le gravier. Le bruit se rapproche, il a déjà traversé la véranda. Il est maintenant très net, accompagné d'un rythme respiratoire oppressé. Il s'arrête à la porte du salon. Ma mère et tante Hortense se sont levées, les traits du visage crispés. Doucement, la poignée tourne. Une ombre filiforme traversée par une respiration haletante apparaît dans l'encadrement de la porte.

J'enfonce mes deux poings dans ma bouche. Ma frayeur est telle qu'elle fait flageoler mes jambes : impossible de courir me réfugier dans les jupes de ma mère. Je ne peux pas non plus détacher mes yeux de ce fantôme enveloppé dans une chemise et un pantalon beaucoup trop grands pour qu'ils aient jamais pu lui appartenir.

Deux pupilles dilatées enfoncées dans deux orbites noires, une tête tondue sur laquelle pousse un léger duvet, un visage osseux, imberbe, contrastant avec les poils démesurément longs qui sortent du col de la chemise. L'avant-bras et le bras sont

131

velus. Il lève la main, cinq doigts longs, squelettiques, dont on peut compter chacune des phalanges ; des ongles longs, crochus et noirs. Il montre ses lèvres décharnées et gercées : « C'est la gueule d'un revenant et tous ces poils qui me couvrent le corps... » Eva Maria se met à rire, d'un rire nerveux. « Mais qui es-tu ?... D'où viens-tu ?... Du royaume des morts ? As-tu vu Sylvain ?... Y est-il déjà arrivé ?... T'a-t-il confié un message pour moi ?... Je viens de Fort-Touron », crie presque la bouche noire. « Fort-Touron, est-ce une ville, un pays, une planète ? reprend Eva Maria cette fois anxieuse. Êtes-vous nombreux à y vivre ? Sylvain y est-il ? »

Je me croyais en plein cauchemar, ces mêmes cauchemars qui ont toujours hanté mes nuits d'enfant et qui maintenant encore me poursuivent.

« ... Au début, reprit la bouche gercée, ils désignaient les victimes au hasard. Celles-ci, entraînées dans une clairière avoisinante, étaient exécutées par des hommes masqués. C'était au tout début ; ils plongeaient une petite fourche à trois dents dans le cou des victimes, les attaquant par-derrière. La mort était instantanée : dislocation des vertèbres... Emmenez moi, je vous prie, emmenez-moi... Le nombre de victimes augmentant, on engagea de nouveaux hommes qui ne se déguisaient même plus. La société devint très importante, mais toujours le secret le plus strict resta de règle, rendant impossible la communication des membres avec l'extérieur. Quand, par miracle, il leur arrivait d'en libérer un, c'était sur la base d'une sévère recommandation · toute personne interrogée devait affirmer n'avoir rien vu... Pendant ces deux années, ils ont voulu me persuader de me joindre à eux, de leur fournir d'autres victimes pour augmenter la société, et comme je refusais, ils me faisaient manger mes propres excréments, quand ce n'était pas de la chair humaine. Je suis sûr que c'était de la chair humaine : leurs petites fourches laissaient des traces parfaitement visibles dans le corps des victimes qu'on exécutait, les soirs de grands vents... » Eva Maria éclate d'un grand rire. Ma mère élève la voix pour couvrir le rire d'Eva Maria : « C'est fini maintenant, Gabriel. Tu vas rester avec nous... — J'ai soif, dit Gabriel, comme j'ai soif ! toute l'eau de la terre ne réussira pas à étancher ma soif ! » Absalon lui apporte un grand verre d'eau. Il le prend d'une main tremblante et boit d'un seul trait. « Tu devrais te reposer », dit tante Hortense. Oncle Gabriel, car c'est bien lui, semble ne pas avoir entendu ce conseil ; il reprend son récit interrompu.

Pour regagner son domicile, il dut passer par des ruelles étroites et tortueuses, entre les murs de bicoques, de baraques à coup sûr surpeuplées. Il connaissait assez mal ce côté-ci de Trou-Bordet. Il dut se perdre dans les bayahondes qui s'étendaient à perte de vue. Il se retrouva ensuite par on ne sait quel miracle avenue de la Grande-Saline, s'engagea dans la rue des Remparts, évita, de justesse, le labyrinthe de ruelles qui l'aurait conduit route de la Plaine du-Cul-de-Sac, vira à gauche derrière la croix du calvaire et, par un petit embranchement non identifié, il échoua chemin du Bois-Saint-Martin — périphérique à la ville. Par ce chemin, il a pu, sans se faire remarquer, traverser successivement Sans-Fil, le quartier du Fort national, Lalue, Bois-Verna et atterrir enfin à Turgeau.

Oncle Gabriel revient d'un séjour de deux ans à Fort-Touron. Il n'a jamais compris ce qui lui était vraiment arrivé. Pourquoi n'étant ni « poseur » de bombes, ni colleur d'affiches, ni distributeur de tracts il s'était retrouvé dans les griffes de Tony Brizo. S'il avait été son camarade de classe ou de quartier, il aurait compris car, dans ce genre de situation, les haines peuvent remonter à l'enfance, aux premières bagarres, aux taloches par surprise dans la cour de récréation, aux quatre cents coups. Mais Tony Brizo ni vu ni connu. Certes, aux dernières élections il avait soutenu le candidat de la fraction mulâtre de la bourgeoisie, non pas tellement pour ce qu'il représentait mais parce que ce candidat promettait la création d'une bourgeoisie nationale reposant sur l'agro-alimentation, « la politique de la terre, la seule, la vraie ! » Gabriel Morelli pensait que l'avènement de la bourgeoisie dans un contexte de pourrissement accéléré des contradictions la forcerait à abattre son jeu en tant que classe dominante et favoriserait du même coup une prise de conscience très nette des classes moyennes urbaines et d'une fraction importante de la paysannerie. En politique, il le sait, les changements sont longs et à plus forte raison dans un pays où la question de la couleur, à tout coup, double la question sociale, la masque, la condense et la traduit dans un système de signes et de significations sociales qui contribuent à enserrer davantage ce pays dans les mailles du sous-développement, de l'archaïsme, voire de la barbarie. Héritier du nationalisme des Lumières, continuateur de Jacques Roumain qui, lui-même, avait inscrit dans ce pays une autre histoire, vieille de quelques années, mais déjà hérissée d'obstacles et de passages obligés, enfant des luttes fratricides de 1946, Gabriel Morelli se disait d'un optimisme tragique en ce qui concerne le destin de ce pays depuis qu'il avait compris que « nous sommes probablement rêvés par un dormeur qui n'est pas près de se réveiller ». C'était une métaphore pour expliquer à sa façon le fait pour ce pays d'occuper un coin minuscule d'un monde immense et d'être totalement étranger aux mécanismes occultes qui gouvernent la vie quotidienne de ses citoyens. « Les choses se décident, ne disons pas ailleurs, parce qu'ailleurs est partout, mais sur une échelle autrement plus vaste que cette moitié d'île de vingt-huit mille kilomètres carrés. »

Deux ans de détention à Fort-Touron ! Cela avait été très dur à avaler. Aussi, on comprendra que l'homme libéré ce soir par Tony Brizo n'était plus le même homme des années 1957, cet intellectuel proche de la cause du peuple, mais une sorte de fantôme blessé, claudiquant et délirant sur la pierraille d'un monde qui à présent lui était devenu presque étranger...

Le reste de la scène s'estompe dans ma mémoire, un brouillard le recouvre. Peut-être me suis-je endormi, enfoui dans mes rideaux, que ma mère a dû me prendre dans ses bras et me transporter dans mon lit comme elle le faisait quand, voulant participer aux veillées familiales, je m'endormais, enveloppé dans les rideaux du salon.

Ma mère ! Ici, il n'est question que d'elle : une quête dans la nuit des temps du visage qui précéda le mien. Comme on reconstitue avec des fragments d'os un état d'avant l'histoire, je tente ma chance, je reconstitue des fragments de mon passé. Maintenant, je sais : le thème des Atrides, tel qu'il nous est parvenu à travers Eschyle, est éternel : Clytemnestre tue son mari, Agamemnon ; pour venger son père, Oreste tue, à son tour, sa mère. Tous les meurtres n'ont pas le même statut ; témoignages de la pérennité de la vendetta, ils trouveront dans la ville leur sanction, mais avec une petite différence : Oreste est acquitté de son crime parce que le meurtre d'une mère est moins grave que celui d'un père. Trou-Bordet dansera sur le cadavre de ma mère pour venger le dieu mâle... C'est toi qui me l'as dit, Absalon, souviens-t'en. Tout ce qui touche à la sexualité n'a rien d'innocent n'est-ce pas ? Dans ce passage obligé par les rivages de barbarie, dans ce long séjour au pays de la Loupouasie, je suis emmailloté de lianes drues. Au début, c'étaient les chasseurs, la flibuste, les trafiquants, les missionnaires et les chargés de mission ; aujourd'hui, ce sont les développeurs, les agences et leurs relais indigènes qui nous vampirisent. Que d'animaux bizarres rôdent autour de nous ! Que de tamanoirs, d'agoutis et de marsupiaux nous étranglent sous leurs caresses ! Parfois on surprend au loin des danses de mort, d'inquiétants rites lugubres. On prend la fuite. On se perd dans une jungle. Là, on vire en rond, comme dans une impasse. On tourne sur place, comme dans un cul-de-sac. On n'arrive pas à se frayer un chemin, ni dans le passé ni dans le présent. On ne distingue plus ni le réel ni le mythique. On croit déboucher sur une éclaircie, ce n'est qu'une clairière défoncée. Que faire, Absalon ? Absalon ! Absalon !

L'après-midi s'apprêtait à déserter la terre. Absalon enlevait les mauvaises herbes qui envahissaient les plates-bandes. Il regardait Eva Maria assise dans un fauteuil d'osier. Eva Maria dodelinait. Les ramiers avaient vidé le ciel du signe triangulaire de leur présence. Hortense, elle, était assise sur une marche d'escalier, adossée au chambranle de la porte d'entrée. Elle respirait faiblement, les yeux mi-clos. C'est Eva Maria, la première, qui rompra le silence : « Hier après-midi, disait-elle, comme le prêtre s'apprêtait à chanter le *Dies irae*, vers la fin de l'enterrement... — Les funérailles... »

rectifia Hortense. « L'enterrement ! » affirma Eva Maria. « Les funérailles. » Pourquoi cette obstination de la part d'Hortense Morelli ? Est-ce une marque de caractère ? La fatigue ? Qui peut le savoir ? « De toute façon, concéda Eva Maria, enterrement, funérailles, quelle importance ! Sylvain Morelli gît six pieds sous terre, maintenant. Te rends-tu compte, Hortense, six pieds là-dessous. » Eva Maria continuait à dodeliner. Elle a les yeux fermés maintenant. Elle dit : « Hier après-midi, comme le prêtre s'apprêtait à chanter le *Dies irae*, Jésus m'a donné un baiser sur la bouche, ce baiser m'a transpercé le cœur. » Hortense ouvrit brusquement les yeux. Elle regarda Eva Maria. « Cela s'appelle une hallucination, Eva Maria ! » dit-elle d'une voix blanche. « Non, une apparition ! — Une hallucination ! » Elles s'obstineront quatre à cinq fois sur la justesse du terme. Eva Maria tiendra tête à Hortense sans en démordre, cette fois-ci : « Une apparition ! J'ai eu une apparition. Elles en ont eu à Lourdes, elles ? Pourquoi pas moi ? Je te dis, Hortense, je te le redis, j'ai eu une apparition : il est descendu de sa croix, il est venu vers moi à pas très lents ; il m'a embrassée sur les lèvres. Il m'a dit d'un ton viril, au moment même où le prêtre entamait le *Dies irae* : " Ce sont nos fiançailles qu'on célèbre, Eva Maria. Bientôt, tu vas m'épouser. Es-tu heureuse, mon amour… ? " — Voyons, Eva Maria ! » l'interrompit Hortense. « Doux Jésus, que je lui répondis, je ne saurais accepter nul autre mâle que toi. Ô mon

Seigneur ! Ô mon Maître ! Tu es la beauté de mon visage, tu es la splendeur de mes yeux ressuscités ; que toutes tes flammes sacrées traversent mon corps ! Pénètre-moi... Pénètre-moi... Vois, je suis déjà humide et fraîche ; j'ai de l'eau dans mes crevasses... Je ne te mens pas, Hortense. Pendant que je lui parlais, le visage de Jésus s'illuminait d'un tendre sourire et moi je fus traversée, l'espace d'un cillement, par un doux orgasme... — Eva Maria ! » cria Hortense stupéfiée. « Hortense, c'est ça. De la jalousie. Tu ne veux pas que ça m'arrive à moi. Pour moi, c'est de l'hallucination, mais si c'était toi, dans l'église, tu convoquerais des journalistes, la radio et la télévision. Mais tu n'es justement qu'une bigote, une femelle sans verges, puritaine, va ! » Hortense, d'une voix qui lui venait du plus profond de ses entrailles, ordonna : « Tais-toi ! » Mais Eva Maria, visiblement, n'entendait pas la voix d'Hortense. Elle avait pris pied dans un autre monde. Elle avait franchi l'autre versant. À partir de cet instant-là, elle n'ouvrira plus la bouche que pour accueillir des anges vêtus de satin, de fin lin, des amours chevauchant des pouliches de nacre ; ou encore pour se fâcher et prononcer des *vade retro Satanas* contre des incubes simiesques.

Hortense Morelli a toujours eu un faible pour Eva Maria. Cette faiblesse n'avait point de bornes. Elle lui passait le pire de ses caprices. À cela, point de mystère. Cette grande tendresse pour Eva Maria venait de ce que sa sœur cadette était née dans des circonstances exceptionnelles. Eva Maria vint au monde en octobre 1944. Ce dimanche-là, Rebecca voulut assister à la messe de l'aube. On était en plein dans la fameuse campagne des « rejetés ». Les prêtres bretons avaient déclaré ouvertement la guerre aux pratiques superstitieuses qui sévissaient dans l'île malgré deux siècles d'efforts. Nouveaux Croisés des temps modernes, ils organisaient de véritables expéditions contre les temples qui abritaient les autels des dieux ancestraux, et au nom du Père, du Fils et du Saint-Esprit, brûlaient les péristyles. Le gouvernement au début n'appuyait pas cette campagne. Il avait déjà assez de problèmes avec les soulèvements paysans contre la SHADA* pour ne pas ajouter à cela une lutte religieuse, assez de ces journées de terreur qui laissaient tout le pays frappé de stupéfaction. Trou-Bordet, depuis plusieurs jours, vivait dans l'anxiété. Les maisons de commerce avaient fermé leurs lourdes portes métalliques. Les vendeuses avaient déserté les marchés. Des hordes de paysans avaient envahi les portes de la ville pour protester contre le fait que la SHADA, compagnie chargée d'un soi-disant plan de développement agricole, mangeait les meilleures terres arables, remplaçant les plantations vivrières par le sisal et l'hévéa. Deux mille paysans s'étaient présentés aux portes de Trou-Bordet. Ils furent massacrés.

---

* *Société haïtiano-américaine de développement agricole.*

Rebecca, le dimanche qui suivit ces événements, enceinte de sept mois, voulut assister à la messe de quatre heures. Toute l'église, drapée dans un silence religieux, écoutait le prêtre, du haut de sa chaire, maudire les loas et leurs serviteurs. Soudain des coups de feu éclatèrent. Rebecca fut prise dans l'échauffourée. L'enfant qui naîtra dans la soirée portera les stigmates de cette journée mémorable dans les annales de la République. Rebecca avait toujours réclamé de la complaisance pour Eva Maria car, disait-elle, quand je l'ai allaitée, mon lait avait tourné, suri, à cause de la grande émotion que j'ai eue ce jour-là. Cet événement suffisait, selon Rebecca, à expliquer qu'Eva Maria ne soit pas comme « les autres », qu'elle ait depuis l'enfance des comportements bizarres, qu'elle pousse des cris de frayeur la nuit, que souvent les discours qu'elle tenait accusent, ici et là, des absences, des trous, des incohérences et qu'à la limite, elle puisse s'enfermer plusieurs jours de suite dans sa chambre, prostrée, le corps adoptant une position d'une rigidité cadavérique. Selon Rebecca, il ne fallait absolument pas la laisser pour compte. Au contraire, il fallait la caresser, la dorloter, la chouchouter. Elle était une jeune pousse, une fine fleur, un arbrisseau fragile et après tout, comme dit le proverbe, petit couteau est meilleur que l'ongle, on verra, un jour, un prince viendra et Eva Maria fera un beau mariage qui nous sauvera tous, car les enfants sont le bâton de la vieillesse, on ne les aimera jamais assez. C'est avec ces yeux qu'Hortense avait appris à regarder Eva Maria. Quand Rebecca mourut, dans les circonstances que l'on sait, Hortense la remplaça auprès d'Eva Maria.

À la mort de Rebecca, Eva Maria perdit une mère, mais elle la retrouvait aimante, douce, attentive en Hortense Morelli. Et dans un certain sens, c'était une chance qu'Hortense ne se fût point mariée car l'homme qu'elle aurait épousé eût pris, dans le même temps, deux femmes, les deux sœurs, pour le meilleur et pour le pire ce qui, en ces circonstances, ne rate jamais.

La scène avec Eva Maria avait laissé Hortense songeuse et perplexe. Elle avait pris la place qu'avait quittée Eva Maria et, depuis plus d'une heure, les yeux dans le vague, elle dodelinait. Absalon s'approcha d'elle : « Mademoiselle Hortense désirerait-elle mes services ? — Pardon, Absalon ? — Mademoiselle Hortense sait-elle qu'il est tard et qu'elle n'a rien mangé depuis midi ? Voudrait-elle que je lui apporte quelque chose ? — Non, merci, Absalon. — Alors, bonsoir, mademoiselle Hortense. » Le domestique pivota sur ses talons. Il descendit lentement les marches de l'escalier. « Avez-vous jamais été amoureux, Absalon ? » lui demanda à brûle-pourpoint Hortense Morelli. Le domestique revint sur ses pas. Il ne paraissait point surpris par la question, mais les mots de la réponse lui arrivèrent d'abord confusément. Il bafouilla un peu : « Nous n'employons jamais cette expression, mademoiselle Hortense...

Disons, puisque vous me le demandez, j'ai connu plusieurs femmes... » Hortense eut un petit rire, taquin, moqueur. « Pourquoi riez-vous, mademoiselle Hortense ? Qu'y a-t-il de si comique dans ce que je viens de vous dire, mademoiselle Hortense ?... » Hortense continua à rire : « Oui, je suppose, Absalon, que vous avez déjà connu des femmes dans votre vie. Mais avez-vous jamais été amoureux, Absalon, amoureux jusqu'au trognon, comme dans les films ? » Absalon baissa la tête et regarda le bout de ses orteils : « Je ne vous répondrai pas, mademoiselle Hortense. » Hortense insista : « Tu ne veux pas le dire à ta mademoiselle Hortense ? » Absalon, ferme sur ses positions, les mains derrière le dos, la tête fière : « Je ne vous répondrai pas, mademoiselle Hortense, même si vous insistez... Si je vous le disais, vous vous mettriez de nouveau à rire et ça me blesserait, mademoiselle Hortense. Voyez-vous, mademoiselle Hortense, enchaîna-t-il, vous... vous ne savez pas de quoi le monde a l'air vu d'en bas... Vous l'ignorez complètement, mademoiselle Hortense. Le monde vu d'en bas est un épervier dont on n'a jamais vu le dos parce qu'il plane tout haut... En vérité, mademoiselle Hortense, vous ne savez pas de quoi le monde a l'air vu d'en bas. Il apparaît comme un jardin de délices, mais le jardin est grillagé et tout autour une armée monte continuellement une sempiternelle garde... Comment briser ce rempart ? Comment investir la place ?... » Absalon, soudain, devint silencieux et songeur. Il planta ses yeux dans les yeux d'Hortense Morelli. Celle-ci ne put soutenir la braise de ce regard, comme si, à cet instant précis, elle avait compris qu'elle était allée trop loin dans cette familiarité avec le domestique. Alors, elle reprit tout son territoire, si jamais cette conversation l'avait déterritorialisée : « Absalon ! Nous... nous serons obligés de nous passer de vos services. Vous savez, les événements de ces derniers temps nous ont quelque peu appauvris. Nous ne pouvons plus mener le même train de vie... Un majordome... » Absalon sentit dans l'intonation de voix d'Hortense qu'elle avait retrouvé toute la morgue des Morelli. Il serra les dents : « Mademoiselle Hortense m'excusera, mais elle ne me chassera pas de cette maison ! Mademoiselle Hortense ne le pourra pas et mademoiselle Hortense le sait très bien. » Serait-ce l'affrontement ? Hortense, comme piquée au vif, se leva : « Comment, Absalon ?... Et pourquoi, Absalon ? » Le domestique resta imperturbable : « Mademoiselle Hortense connaît le contrat qui me lie à cette maison. Dois-je en rappeler les termes à mademoiselle Hortense ? Dois-je le faire ? Dois-je rappeler à mademoiselle Hortense que son défunt père, M. Astrel Morelli, lui-même... » Il est des mots qui sifflent comme des cravaches ; il est des mots qui lacèrent comme du vitriol ; il est des mots qui ont la vertu des baguettes magiques ; ils invoquent des spectres qui reviennent troubler les vivants : « Tais-toi, Absalon, dit-elle, tais-toi ! »

Hortense se leva. D'un pas fatigué, elle traversa la véranda et pénétra dans la maison. Celle-ci, après les grandes effervescences qu'elle avait connues ces derniers jours, était plongée dans une sorte de torpeur, la gestation de quelque nouveau drame qui se préparait souterrainement, n'attendant qu'un déclic.

5
UNE JOURNÉE
DANS LA VIE DE NARCÈS MORELLI

Trois coups à la porte comme pour marquer la fin d'un entracte, comme pour annoncer la reprise d'un spectacle. Lentement, Absalon marcha vers la porte d'entrée et la fit grincer sur ses gonds rouillés. Noémie était là, debout dans l'encadrement. Vêtue d'un tailleur jaune soleil, un collier et des pendentifs lançant des jets de lumière dans le matin, elle avait une tenue insolite pour cette heure du jour. Belle femme, en vérité, malgré ses traits tirés trahissant une nuit d'insomnie. Absalon savait, et il était seul à le savoir dans la maison, que Noémie cette nuit n'était pas rentrée. « Monsieur Gabriel est-il déjà réveillé ? — Je l'ai entendu marcher. Il va certainement descendre dans un instant. Avez-vous déjà pris votre café ? » demanda Absalon. Noémie remua la tête en signe de dénégation. « Venez alors à l'office, je le préparais justement. » Noémie suivit Absalon. Narcès les avait précédés. Assis sur un tabouret haut, balançant ses longues jambes filiformes, il les regardait arriver. « Petit sacripant, va ! L'odeur du café t'a tiré de ton lit ? » lui dit Absalon en lui donnant une petite tape sur l'épaule. Noémie s'approcha et le prit dans ses bras.

À travers la grande baie vitrée de l'office, on avait vue sur la ville, ses toits multicolores et incandescents sous le soleil du matin, on avait vue sur la mer et son reflet bleuté à l'horizon. Gabriel ne tarda pas à apparaître au haut de l'escalier de palissandre. Des traces de mousse, une ou deux éraflures à la mâchoire indiquaient qu'il venait de se raser. Il descendit l'escalier d'un pas alerte. « Tu es bien matinale, ma sœur ! » Il embrassa Noémie sur le front, prit Narcès de ses bras, le souleva, le déposa sur le tabouret en lui tapotant la joue droite. « Tu es bien matinale, ma sœur. Qu'il est bon d'être chez soi ! » Noémie toussota, s'apprêta à parler, mais déjà Absalon se tenait droit devant elle et lui présentait dans un plateau une cafetière, un sucrier, des tasses, des cuillères. « Deux ou trois sucres ? — Trois sucres », dit Noémie. « J'avais oublié, dit Gabriel, ton café, tu l'as toujours bu très sucré. Quand il te voyait prendre ton café, le père Morelli... » C'était comme si, brusquement, le poids du passé surgissait, le visage d'Astrel Morelli, là, en flou : Noémie en larmes, la voix d'Astrel Morelli proférant des injures, des malédictions, l'index menaçant. Le regard voilé de Gabriel se promena de Noémie à Narcès, puis de Narcès à Noémie. Le passé, dix ans déjà, oui, dix ans, était encore frais et lourd. Narcès semblait ne prêter aucune attention à cette scène et regardait attentivement le fond de sa tasse de café tout en buvant du bout des lèvres à petites gorgées. Soudain, dans le matin, s'éleva une voix gutturale, une voix de femme en provenance d'une chambre : « Va-t'en mouche ; je suis enceinte de mon seigneur. » Narcès sursauta. Cette voix avait partie liée avec un au-delà du présent, un au-delà de la vie. Narcès sursauta et, ce faisant, il faillit renverser la tasse de café sur son pyjama. « C'est encore Eva Maria », dit Gabriel… Il y eut quelques secondes de silence, au cours desquelles une brise traversa le salon, une brise fraîche qui laissa sur les peaux des traces de chair de poule. La voix poursuivit son monologue sur un ton incantatoire : «'Viens, petit papillon aux ailes brisées, viens-t'en, viens, petit papillon aux ailes brisées, viens, je t'offre la toile d'araignée de mes songes. Voici le vent, le tri, la fusion, voici les grands éboulements, les secousses sismiques, voici la grande époque de faim-vie, viens, petit papillon aux ailes brisées, viens, je t'offre la toile d'araignée de mes songes. Toi, va-t'en mouche ! Je suis enceinte de mon seigneur. » Puis elle se tut, la voix. Six heures sonnaient au beffroi de l'église proche. On croirait entendre des sons d'orgue, une musique lénitive et funèbre. Les témoins étaient blêmes. « Que de tracas ! Que de passages difficiles à traverser ! Cent et une passes avant de trouver une véritable oasis !… » soupira Noémie. « Je ne sais pas, je ne sais plus », répond Gabriel en se raclant la gorge, « cela fait quand même des semaines que cela dure, qu'elle ne sort plus de sa chambre, proférant des paroles sibyllines, des suppliques hermétiques, quand elle ne se met pas à chanter des chansons à significations inconnues. » Il y avait de la détresse dans cette voix, de l'impuissance aussi et également une sorte de fatigue, de lassitude qui indiquait que le combat pour l'existence, la survie, était plus que jamais incertain. Gabriel arpenta la pièce de long en large. Puis, il s'arrêta à la fenêtre. De là, il contempla, un long moment, la ville et ses toits qui maintenant prenaient feu sous le soleil. Il revint s'asseoir en face de Noémie et de Narcès. « Absalon, dit-il, sers-nous encore du café, s'il te plaît… »

Ma mère avait les yeux pleins de larmes. Aujourd'hui, je comprends les raisons qui motivaient ces pleurs et pourquoi elle décida, à ce moment-là, de se décharger de mon éducation. Elle savait le destin qui l'attendait. Elle savait qu'elle ne remettrait plus jamais les pieds dans cette maison. À cet instant précis, elle savait que la vie finalement était inutile, prosaïque, sans grand défi qui mérite la peine qu'on la vive. Dans sa tête, elle avait tout planifié, prémédité. L'horrible, comme dit l'oncle Gabriel, s'était déjà produit. Ma mère, ce matin-là, dans son tailleur jaune soleil, exhalait un parfum de lavande. J'aimais l'odeur de ma mère. Longtemps après, on apprit qu'elle avait rendez-vous avec Tony Brizo, dans l'après-midi. « Voici Narcès, je te le confie, Gabriel. » J'aimais cette odeur qui enveloppait l'espace de mon enfance. Il me semblait que tous les alentours en étaient imprégnés. Était-ce l'éther des magnolias, l'essence du jasmin, la délicatesse de l'hibiscus, l'entêtement du laurier, la discrétion de la bougainvillée ou l'indécence du flamboyant, ou alors la fusion de l'ensemble de ces parfums ? Aujourd'hui encore je ne saurais le dire et, quand je repense à cette scène, ce n'est pas tellement la voix de ma mère qui me remonte à la mémoire, « je te le confie, Gabriel », que cette odeur tenace qui me pénétrait par les moindres replis de mon corps. J'aimais l'odeur de ma mère. « Je te le confie, Gabriel, disait-elle, je veux qu'il soit un homme. Il a dix ans. Veille sur ses dix ans. Veille sur sa vie comme si c'était ton propre fils. Fais-le pour moi, Gabriel. Je te le confie… » L'oncle Gabriel se contenta de tirer une bouffée de sa cigarette et d'arpenter de nouveau la pièce. Tout était déjà entendu. Il aurait pu s'informer, demander des explications sur ce départ, mais non, il continua d'arpenter la pièce de long en large, en tirant rageusement sur sa cigarette. Ma mère m'entoura de ses bras, m'embrassa plusieurs fois et partit sans se retourner. Je ne percevais pas, à ce moment-là, toute la portée des paroles que je venais d'entendre, mais j'avais une sorte d'intuition, de lumière spontanée, celle que perçoivent les jeunes animaux lorsqu'ils viennent d'être sevrés par leurs parents.

*
* *

Comme un convalescent, l'oncle Gabriel s'était réinséré dans le train-train de la vie quotidienne. Deux années de prison, cela laisse des stigmates. Il passait de longues heures à lire ou à jouer aux dominos avec Absalon. Entre les parties, il s'arrêtait, les deux mains posées sur la table, et tenait à voix basse des discours sur le rapport des hommes avec la nature et des hommes entre eux. Absalon l'écoutait d'habitude en silence. S'il lui arrivait d'interrompre le maître, car Absalon s'adressant à oncle Gabriel l'appelait maître, c'était pour poser des questions d'éclaircissement. Les réponses arrivaient alors dru, mais toujours à voix très basse. Et leur fin, invariablement ponctuée d'une phrase laconique, tombant comme un couperet : « Sylvain Morelli, quel imbécile ! »

Devrais-je dire quelle fut ma vie à partir du départ de ma mère ? Devrais-je dire ce que furent pour moi la demeure familiale, les grandes virées matinales, les cloches du dîner, les tantes aux jambes croisées, dodelinant dans des fauteuils d'osier, le bruit des pioches martelant la terre dans l'après-midi, les silences, les imprécations d'Eva Maria ? Devrais-je raconter les lierres envahissants, la grande barrière de l'entrée principale rongée de rouille, la désertion des amis que les vents avaient emportés — car il avait venté devant notre porte —, les visites répétées du biocanteur raflant à prix dérisoire chandeliers, argenteries et faïences ? Devrais-je raconter ces avant-goûts de néant que la splendeur passée des Morelli n'a pas su éviter ?…

Ma prise en charge par l'oncle Gabriel a constitué pour moi une renaissance. Plus que l'enseignement des bons pères du Saint-Esprit, ce sont les journées d'été passées en compagnie de l'oncle Gabriel qui ont marqué mon adolescence. En y repensant aujourd'hui, j'ai l'impression que les jours se sont succédé selon un rythme précis, régulier, immuable, mis à part quelques variantes dues à la température, la pluie ou à quelques faits divers relatifs à ma santé : une mauvaise coqueluche m'a retenu au lit, par exemple.

Je me lève et je me couche avec les poules. Six heures : je suis debout depuis plus d'une heure. C'est la toilette du matin. Je me lave le visage, les aisselles, le zizi et la plante des pieds. Je me brosse les dents et j'effectue quelques mouvements de gymnastique, l'oncle Gabriel y tient. Puis, je descends à l'office. Absalon, comme le jour du départ de ma mère, y prépare le café noir que je boirai accompagné de tartines à l'arachide ou au miel. À la fin du petit déjeuner, je pars avec l'oncle Gabriel pour un tour du quartier. Quand les matins n'étaient pas trop chauds, nous empruntions un détour qui nous emmenait jusqu'à la Tête-de-l'Eau. C'est le nom de la source où prend naissance Bois-de-Chêne, cette rivière en voie d'assèchement qui divise en deux ce côté-ci de Trou-Bordet. Il n'en reste qu'un maigre filet d'eau dont se sert tout un peuple de lavandières, car tout un peuple s'y lave, lave son linge sale dans une joie égale à son dénuement criard. Pour l'oncle Gabriel, cette scène a une importance capitale. « Laver, coudre, cuisiner, bêcher, sarcler, planter, dira-t-il sur un ton sentencieux, peuvent sembler des tâches subalternes, dégradantes, mais ce sont des gestes inséparables de la condition humaine. On a tort d'abandonner ce langage qui permet de nouer un dialogue ininterrompu avec l'univers : la laveuse, aux mains pures et à la langue bien pendue, est placée sous le signe de l'eau ; la couturière entre plutôt dans la catégorie du sec ; la cuisinière, elle, joue avec le feu ; l'agriculteur a partie liée avec la terre nourricière, le pollen et le vent. » L'oncle Gabriel et moi, nous contemplons les lavandières jusqu'à ce qu'au beffroi de l'église se mettent à sonner les coups de huit heures. La radio, « La Voix de la République », par des haut-parleurs installés aux quatre points cardinaux, convoque pour la montée du bicolore, emblème des hauts faits des pères de la patrie, et louange les bienfaits imaginaires d'une soi-disant révolution dans l'unité nationale. Nous reprenons alors le chemin de la maison : j'embrasse tante Hortense et tante Eva Maria. Celle-ci m'accueille invariablement avec cette ritournelle : « N'oublie pas, petit, tu es le seul animal à savoir qu'il doit mourir un jour, alors réjouis-toi que tu aies pu te réveiller aujourd'hui sans que tout soit fini. » Ce disant, elle esquisse furtivement un signe de croix avec le dessein ostensible de narguer tante Hortense. L'oncle Gabriel m'arrache à ce spectacle et, par une porte latérale qui débouche sur un escalier en spirale, nous descendons en silence au sous-sol. En dessous de l'escalier de palissandre, une trappe. L'oncle Gabriel la soulève et nous empruntons un autre escalier plus étroit, plus modeste. Pendant quelques secondes, nous longeons un couloir qui mène à une porte capitonnée de rouge vif. L'oncle Gabriel me précédant ouvre la porte et, là, nous entrons dans une pièce aux vastes dimensions. Au fond, une porte en ébène. Je me souviens du jour où j'ai pénétré dans cette pièce pour la première fois. Au fur et à mesure que j'y promenais mes yeux, je la découvris excessivement chargée d'objets de toute nature et dont je ne compris pas aussitôt qu'ils représentaient une énorme collection de fétiches, de masques, de statues de dieux nègres, égyptiens, précolombiens, océaniens, de statuettes en provenance de Byzance, de parchemins de la haute Chine et de souvenirs du Tibet. Cet ensemble, en apparence disparate, semblait se dégager des ténèbres comme une procession d'initiés surpris au fond d'une forêt dans l'accomplissement de quelque rite inconnu et interdit. En revanche, il dévoilait à l'attention une unité, un ordonnancement d'où émanait une sorte d'aura, de frisson physique et moral, exaltant la réalité de cette ambiance. Ils sont nombreux, les membres de cette société secrète. Dans l'ordre du défilé, d'abord des poupées de fécondité rappellent la civilisation égyptienne et le signe de vie pharaonique ; puis, des figurines, terres cuites funéraires, sculptées, dit l'oncle Gabriel, d'après nature,

révèlent dans la mort une vie immobile, bien carac-
téristique des bas-reliefs du Nil ; ensuite, sur une
énorme malle à malices, rehaussée de clous de
cuivre et ornée de motifs géométriques empruntés à
l'iconographie africaine, un masque-singe se tient
grave et triste. Sous la patine brune et mate qui le
recouvre, on pouvait déceler les nombreuses années
d'attentifs graissages et de maniements respectueux
qu'un habile sculpteur avait dû investir pour mettre
en évidence son curieux profil concave. Ce masque
impressionnait par l'accord entre les volumes des
demi-sphères lisses du front et du menton, les trous
décalés des yeux et de la bouche, béants comme des
cratères lunaires. Pendue à une poulie simple, la tête
en bas, une sinusoïde, sommet d'un crâne sculpté
par le célèbre Ochaï lui-même, enserre dans sa subtile géométrie six têtes blêmes qui s'emboîtent et se
déboîtent à l'infini. « Belle image, soupire toujours
l'oncle Gabriel en la regardant, très belle image en
vérité de la répétition du même dans le multiple ! »
Enfin, marquée également par les outrages du
temps, récompense des chefs-d'œuvre, une statue en
cuivre avec incrustations de lapis et de turquoises
exhibe une simplicité de forme accentuée par la
cambrure nette des reins. La face polie, rejetée brusquement en arrière, donne à l'ensemble une impression de mouvement : cet étrange guerrier éthiopien,
coiffé d'un heaume, semble se dresser pour l'éternité dans l'isolement rêveur du héros victorieux
indifférent aux fourmis aptères qui montent lente-

ment et méthodiquement à l'assaut de son sourire figé. « Quel dommage, s'était exclamé, une fois, l'oncle Gabriel debout devant cette statue ; quel dommage, car tu n'as rien à voir avec cette affreuse pacotille qui prétend continuer la tradition… » et, comme je demeurais bouche bée, immobile et extasié, « il y a là quatre siècles de collection, me dit l'oncle Gabriel, quatre cents ans, durant lesquels les Morelli ont recueilli tous ces visages où l'on peut lire non seulement la dette de l'Occident chrétien envers les vieilles civilisations, mais également la grandeur de l'homme. Maintenant que beaucoup d'eau a coulé sous les ponts, que sommes-nous devenus ? Des images grimaçantes dans un miroir… des pets de l'éternité… »

À chaque pèlerinage dans cette cave, l'oncle Gabriel me contait l'histoire des différents objets qu'abritait ce sanctuaire, si bien qu'en peu de temps, je connus à travers eux le nom des ancêtres et des grands pans d'histoire de cette mystérieuse famille des Morelli dont je suis, aujourd'hui, le dernier rejeton. C'est l'aïeul qui, fuyant l'Inquisition, embarqué sur un frêle esquif dont la destination, apprit-il en haute mer, était les Antilles, avait apporté les plus anciens objets. De ses propres mains, il construisit cette voûte à la paroi lambrissée de motifs géométriques : des croix, des cercles et aussi des epsilons. Un siècle plus tard, Nicolas Morelli, de retour d'Europe, suscita la curiosité de tous les habitants de Trou-Bordet. Pour unique bagage, il avait rapporté six cents caisses de livres dont il avait surveillé méticuleusement le débarquement comme s'il s'agissait des joyaux de la Couronne. Placer ces livres lui posait un problème. Aussi fit-il installer sur le pourtour de la pièce des rangées d'étagères qui, aujourd'hui, donnent l'impression de balcons de bois suspendus. Pour atteindre les rayons supérieurs de cette bibliothèque improvisée, il faut grimper à une échelle de corde.

Dès les premiers jours, je m'intéressai aux livres sur les rayonnages : un choix d'ouvrages sur les Cathares, les Templiers, les Croisés, le mystère des cathédrales, l'architecture sacrée, les religions orientales, des collections complètes d'éditions rosicruciennes occupaient l'aile droite de la bibliothèque. Je notai au hasard des titres : *La Volonté de puissance*, le *Traité de démonologie* de Jean Bodin, « l'édition originale de 1588, s'il vous plaît », notait fièrement l'oncle Gabriel, l'*Histoire de la magie*, le *Traité pratique d'astrologie*, le *Livre des transformations* et la *Bhagavad-Gita*. Sur l'aile gauche, des traités de sagesse et de science reflétant le bouillonnement du siècle des Lumières. Tous ces livres et bien d'autres dont il ne sera fait nulle part mention ici, l'oncle Gabriel m'incitera à les lire, à en recopier des passages, à résumer et à discuter avec lui certains chapitres, bref, je dus poser tous les gestes indispensables à l'apprentissage des sciences de la nuit et du jour.

Tout au fond de la pièce, on peut voir, proche

d'une fausse fenêtre, une mezzanine qui sert de comptoir de rangement pour des boules de cristal, des bouteilles de toutes dimensions, des flacons de toutes formes, lesquels portent des inscriptions, des formules sibyllines, des secrets de fabrication, des modes d'emploi, des crânes dégarnis coiffant des fémurs en croix. Ils ont appartenu à Juan Morelli, celui qui pouvait marcher sous un fil de fer, les jours de grandes pluies, sans être mouillé. Sous la mezzanine, entassés pêle-mêle, des objets, témoins d'âges, d'époques ou de civilisations différents : balai africain, cruche en terre cuite, embryon desséché, rat à cinq pattes empaillé, pioche pour travaux publics, seaux à eau, débris de pelle mécanique, cristaux de roche, pierres de lune, ancre de bâtiment... À la rampe de cette extravagante loggia était accroché tout un choix de pendules que l'œil ébahi pouvait contempler : pendules d'argus en cuivre, pendules en ébène ou en cristal de roche, pendules sphériques ou en forme de toupie. Et aussi des baguettes, des aimants, des jeux de tarot...

Au centre de la pièce, un majestueux baldaquin de couleur rouge bourgogne figure un trône, un sanctuaire ou un décor de théâtre dont la scène se déroulerait dans les temps les plus antiques. Sous le baldaquin est placé, selon la position de l'observateur, un meuble qui peut être pris pour un autel ou un lit. À côté, une table rectangulaire avec un fauteuil à son bout : sur la table recouverte d'un tapis vert, brodé dans ses franges de riches ornements dorés, des objets hétéroclites sont négligemment jetés : une balance, un jeu de dominos, un encrier, une plume d'oie, un livre ouvert aux trois quarts lu, une clochette, un couteau, un tensiomètre, un compas, une boussole, une paire de dés à jouer, des ciseaux, une fourchette, un dé à coudre, un globe terrestre. Étrange bric-à-brac !

Dans un coin de la pièce, sur une table basse, un appareil composé d'une poire de caoutchouc reliée par un tube de verre à trois ballons également en verre, mais d'inégale dimension : le dernier ballon, lui, est soudé à une boîte en zinc. Cette boîte, hermétiquement fermée, porte une inscription en latin dont le seul mot encore lisible est *maturandum*. Paracelse Morelli, le richissime père d'Astrel Morelli qui avait, dit-on, la spécialité de changer la merde en or, avait passé toute sa vie, courbé sur cet appareil.

C'est dans cette pièce que l'oncle Gabriel m'apprenait à lire (comme il le disait lui-même) l'univers, à connaître les secrets multiples du fonctionnement des êtres et des choses ainsi que leur reproduction. Ces leçons duraient jusqu'à ce que, de loin, nous parvinssent les cloches annonçant le mitan du jour. Nous nous levions alors et, d'un pas alerte, nous rejoignions tante Hortense dans la grande salle. Absalon nous apportait les plats. La structure des repas était invariable : d'abord des bananes vertes, bouillies ou frites, avec de la viande, selon les jours de la semaine, poulet à la sauce créole, boulettes baignant dans une sauce piquante, ragoût de chevreau, porc à l'aubergine, daurades de la Caraïbe en court-bouillon, ça c'était la spécialité du vendredi, côtes courtes de bœuf au mirliton et, le dimanche, éternellement, la dinde farcie. Ensuite venait le riz accompagné de pois aux variétés infinies : pois verts, pois secs rouges, blancs, noirs, tendres fèves de Lima, du Congo, du Portugal, fèves au nom inconnu dans notre région. Enfin la salade, énormes bols en bois remplis de laitue, de tomates tranchées, de cresson effeuillé. Le fromage et autres desserts ne faisant pas traditionnellement partie du dîner, le repas se terminait par un verre de jus de fruits au lait ou une bonne tasse de café avec trois cuillerées de sucre.

Après le dîner, l'oncle Gabriel traînait après lui une chaise jusqu'au fond de la cour en maugréant invariablement : « Comment voulez-vous que ce pays progresse ? La nourriture est trop lourde… » Deux heures de l'après-midi, il somnolait paisiblement pendant que je m'occupais à dénombrer les anolis et autres lézards qui pullulaient dans les parages. Naguère, ils avaient déserté la cour des Morelli, mais ils étaient revenus depuis que l'oncle Gabriel avait décidé de reprendre les fouilles abandonnées par son défunt père. Absalon avait sorti les instruments et, jusque vers quatre heures, sueurs, ahans, les pelles et les pioches blessaient les entrailles de la terre. Seize heures, tante Hortense apportera des cuvettes d'émail remplies d'un liquide pur et elle nous arrosera d'eau fraîche et parfumée de lavande. Puis, ce sera l'instant d'Absalon et de ses copains. Ceux-ci arrivent en général vers dix-sept heures et jusqu'à la tombée de la nuit, l'oncle Gabriel, assis au milieu d'eux, répondra aux questions qu'ils lui poseront sur la terre, le travail, les hommes... Dix-neuf heures : le souper. La plupart du temps, des restes de midi ou une bouillie de féculents, maïs, riz, patates douces. Viendront enfin les grandes heures de la nuit, l'oncle Gabriel jouera une partie de dominos avec Absalon (un jour, je décrirai en détail une de ces interminables parties : la fois où l'oncle Gabriel a perdu, à l'avantage d'Absalon, son titre de champion) ; puis, il grattera une guitare et, les yeux enfouis dans des ailleurs pour nous inconnus, il racontera des histoires dans lesquelles l'abeille se marie avec le grain, l'olivier avec le sable, la cotonelle avec le papillon. À ce moment-là, j'aurai beau écarquiller les yeux, la nuit vaincra mon corps fatigué. Il m'est difficile de donner de plus amples détails sur ce qui se passait après cette heure, mais je sais que la nuit était souvent ponctuée de bruits insolites, de chuchotements, de visiteurs mystérieux, de descentes à pas feutrés dans le sous-sol et de portes qui se fermaient subrepticement...

6

FAITS DIVERS DU CRÉPUSCULE
ET DE L'OMBRE

*I*L FAIT une chaleur inhabituelle, à cette heure de la matinée, surtout à cette époque de l'année. La pluie nous a oubliés depuis un mois et, jour après jour, les nuages s'obstinent à cacher le soleil. S'ils pouvaient crever, l'ondée qui se répandrait sur la ville rafraîchirait l'air et débarrasserait enfin les feuilles, les arbres, les maisons, les hommes et les jours de cette nappe de poussière suffocante.

De temps en temps, d'un coin de l'horizon, me parvient le bruit lointain d'un roulement de tonnerre. Absalon est en retard d'une heure ce matin. L'odeur de café du petit déjeuner n'est pas parvenue jusqu'à ma chambre. La maison semble encore endormie ; même la traditionnelle complainte matinale d'Eva Maria ne vient pas troubler le silence. Accoudé à la fenêtre, je regarde distraitement les scènes qu'offre la ville, différentes selon l'angle de vision. Mais, aujourd'hui encore, c'est la mer qui retient mon attention. De mon promontoire, comme j'ai toujours surnommé ce coin de grenier où se situe ma chambre, j'embrasse toute l'étendue de la mer Caraïbe, de la ligne de l'horizon où elle prend naissance à la grève où elle vient mourir.

Aujourd'hui, elle n'a pas sa teinte bleu zéphyr. On dirait qu'elle est aussi comme le ciel, recouverte de lourds nuages gris. L'œil exercé peut compter distinctement cinq grandes vagues qui, successivement, se forment à l'horizon. Elles ressemblent aux épines dorsales de caïmans agressifs, prêts au combat. La mer est grosse, disent les pêcheurs qui n'osent pas, par ces temps-là, l'affronter. Le rugissement des vagues, par-delà les bruits de la ville, parvient jusqu'à moi. Elles semblent donner l'assaut à d'invisibles ennemis pour ensuite s'écraser sur la côte dans une rage folle, accouchant de leurs écumes de blanches mousselines. Cet entêtement des vagues à se former, leur chevauchée écervelée, leur heurt brutal quand, poussées par on ne sait quelle force obscure, elles se rencontrent avant de s'absorber l'une l'autre, m'ont toujours subjugué. Cette sourde énergie des flots, remontant des profondeurs abyssales, m'a toujours troublé l'esprit.

Je suis fatigué avant même de commencer ma journée. Une sueur moite fait coller ma chemise à ma peau. Le fumet du café m'arrache à ma torpeur. À l'office où je descends pour le petit déjeuner, tante Hortense et oncle Gabriel, malgré cette chaleur, sont vêtus de couleur sombre. La robe grise à pieds-de-poule noirs, agrémentée d'une collerette de dentelle blanche, de tante Hortense, a des manches longues. Même Absalon porte, malgré son col de chemise déboutonné, une cravate noire. Je les interroge sur cette tenue inaccoutumée à une telle heure du jour. Ils revenaient de la messe. « Cela fait dix ans, aujourd'hui, que Noémie est partie, dit tante Hortense, dix ans que je rumine ce rêve et que je me reproche de ne pas lui avoir, ce jour-là, accordé l'importance qu'il fallait. » Je n'avais jamais entendu tante Hortense parler de ce rêve, aussi lui demandai-je de me le conter.

Les images avaient duré l'espace d'un cillement : un cheval mort (de faim probablement) sur le côté d'une route. Quelques charognards ailés ou poilus sont rassemblés non loin de là. L'un d'eux s'approche, commence à fouiller la chair de son bec. Un second claudiquant sur trois pattes le rejoint et commence fermement à lui disputer le morceau. Les autres ne tardent pas à s'abattre sur la proie, à la couvrir tout entière, la dépouiller dans un terrible et confus mouvement d'ailes, bruit de becs, de crocs, de glapissements. De temps en temps, quelques hurlements : « Je ne peux m'empêcher de crier, un cri sourd qui passe à peine mes lèvres. Je suis trempée de sueurs froides, agitée de tremblements nerveux, de fourmillements. Je gémis comme un animal blessé, traqué. Dehors, c'est la nuit bleue, peuplements d'orages, d'éclairs et même, à deux reprises, de secousses sismiques. » Ce rêve, tante Hortense dit l'avoir fait plusieurs fois, cette même nuit. Les images n'avaient duré que quelques secondes. Ce jour-là, tante Hortense n'eut pas le temps de raconter ce rêve à Absalon, distraite par un autre épisode d'Eva Maria. Ces derniers temps, elle était encore devenue plus excentrique et adoptait des comportements inqualifiables. Elle se cachait dans les armoires, les ouvrait au moment le plus inopportun et criait « coucou » d'un ton narquois. Elle s'attifait d'étranges façons, mimait un hibou borgne perché sur une branche d'arbre, dormait sous son lit, bref, elle ne savait quoi inventer dans le domaine de l'extravagant. Cette attitude nous laissait indifférents. C'était même devenu une sorte de tabou, surtout depuis l'atroce scène qu'eut, à ce sujet, l'oncle Gabriel avec tante Hortense. Oncle Gabriel voulait la persuader de recourir aux services professionnels d'un ami psychiatre qui tenait cabinet à quelques mètres de la maison. Pour tante Hortense, il n'en était pas question, absolument pas question. « Du reste, Eva Maria a toute sa santé ; ses grimaceries ne sont que l'autre versant de sa personnalité capricieuse d'enfant gâtée. Qu'elle continue à se faire du cinéma si cela lui chante. Il n'y a point là de quoi fouetter un chat ; tout devrait rentrer dans l'ordre très bientôt. » Tante Hortense avait parlé. Le cas Eva Maria avait reçu sentence.

Mais, ce matin-là, tôt dans l'aube exaltée, la voix d'Eva Maria dérangea tante Hortense : « Qu'il pleuve des hallebardes ! Que viennent les giboulées d'avril ! C'est un beau poisson, tout rose. Il mesure au moins un mètre quatre-vingts. Une perche d'océan, non, une daurade. Je ne vois pas sa queue, elle est perdue dans le plafond. Sa tête est pointée vers le bas ; elle effleure le plancher... Une daurade géante... Elle doit être morte, puisqu'elle ne bouge pas... L'immobilité, la mort, comment c'est ? À moins qu'elle ne glisse si lentement vers le plancher qu'on n'en perçoive pas le mouvement. Il y a une fissure dans le plafond ! Une tête apparaît, qu'est-ce que c'est ?... Une couleuvre ! Elle s'enroule subrepticement autour de la daurade... Attention ! Attention ! Va-t-elle l'étouffer ?... Vade retro Satanas ! Vade retro Satanas ! Elle s'enroule autour de la daurade, lentement. Elle est mouillée, la couleuvre... Je vois des traînées d'eau qui débordent la surface curviligne qu'elle occupe sur l'écaillure de la daurade. Je les vois, les écailles, myriades de petites plaques roses. La couleuvre prend la forme d'une spirale. Silence ! Le silence... Elle lèche le poisson d'une langue humide, bifide. Tout se passe lentement. Tout est tellement lent... Sang, eaux, excréments !... Est-ce un autre monde ?... Le plafond est si lourd sur ma tête, tout le poids de la terre... Tout se passe dans un clair-obscur. La couleuvre embrasse le poisson. Non ! Ai-je crié ? Surprise ! La couleuvre tourne son regard vers moi. Le noir, ou plutôt non, la lumière du petit matin... »

Eva Maria avait-elle rêvé ou délirait-elle ? Toujours est-il que ce langage ne sembla pas inquiéter outre mesure la maisonnée qui vaqua à ses occupations ordinaires. Il les inquiéta d'autant moins que, dans la journée, plusieurs versions différentes de ce même récit avaient émergé sur les lèvres d'Eva Maria. Vers midi, ce fut le poisson qui avala la couleuvre. Un peu plus tard, au crépuscule, le poisson n'était plus dans la maison mais faisait la planche tranquillement sur une plage. Dans cette position, ses écailles roses luisaient au soleil. Écailles ô combien tentatrices qui attirèrent un saurien planeur. Après une danse rappelant la lutte de l'ange, le poisson saisira le reptile ailé à l'instant même où ce dernier plongeait, de nouveau, pour le dévorer.

Ces versions différentes, ces variantes sensibles n'intéressèrent qu'Absalon qui remarqua la permanence de deux éléments, le poisson et la couleuvre. Il consulta un livre d'interprétation des rêves, exemplaire qu'il dit daté d'un âge inconcevable et rédigé par des Phéniciens, hommes du monde de l'éveil, originaires des royaumes oubliés dans le pays des rêves, bien avant que les cannibales velus eussent envahi la terre. Absalon, joueur de loterie invétéré, relut méticuleusement ce texte ancien et découvrit que poisson référait au numéro vingt-quatre et couleuvre, au numéro quarante-deux. Il ne pouvait y avoir correspondance plus prometteuse, coïncidence plus fortunée. Non loin de la maison, il existait un comptoir de « borlette », cette loterie qui gangrenait Trou-Bordet. Depuis quelque temps, les habitants avaient abandonné toute activité productive pour se livrer à une occupation pour le moins insolite. On traquait les rêves, on se les échangeait, on les monnayait même, pour les traduire en possibles numéros gagnants. Étrange négoce qui enrichissait une poignée, appauvrissant davantage les autres ! C'était la ruine de Trou-Bordet. Absalon se dépêcha donc de rafler tous les numéros vingt-quatre et quarante-deux disponibles pour le tirage du dimanche prochain en y misant, après les avoir raclés, tous ses fonds de tiroirs.

La nuit tombée, presque à l'heure du coucher, tante Hortense ne put contenir son exaspération, surtout quand elle vit arriver Eva Maria portant un bandeau sur les yeux. Jouait-elle à colin-maillard avec ses fantasmes ? Eva Maria continuait à déclamer : « Tandis qu'Éros triomphant déprivatise ses domaines pour en offrir à chacun la jouissance, Thanatos sombre de plus en plus dans l'oubli... Le deuil, connais pas... La mort, connais pas... — Eva Maria, ça ne vous ferait rien de changer de sujet ? » dit tante Hortense, avec violence. « La mort, connais pas... » poursuivit Eva Maria d'un ton monocorde et indifférent à la remarque de tante Hortense, « La mort... Le deuil... dangereux processus... Tout se passe comme si l'instinct menait le bal au-devant de la scène : mort, ô Mort, où est ton aiguillon ? La mort fait peur, mais cette peur est l'un des plus sûrs instruments du pouvoir ; elle renforce l'oppression du pouvoir... elle remplace au profit du pouvoir toute la panoplie des moyens de destruction, elle remplace avantageusement famines et épidémies... Quelle pitié ! Sortez de vos trous, sortez de vos terriers, utilisez vos ailes, ne bouclez point vos ceintures, moi Eva Maria, je vous le dis, en vérité, si vous faites ce que je dis, vous vivrez éternellement. »

Pour tante Hortense, il était indéniable que la coïncidence de ces deux rêves, le sien et celui d'Eva Maria, avait une valeur prémonitoire. Ils annonçaient indubitablement la cascade des événements qui suivirent.

« Dix ans depuis que, jour après jour, l'aube exaltée met en scène la voix d'Eva Maria, ses comédies, ses délires et ses obsessions. Dix ans depuis que maître Théodat ramena le cadavre à demi calciné de Sylvain. Mais, pourquoi a-t-il fait cela ? Pourquoi s'est-il suicidé ? Dix ans depuis qu'un matin, Noémie partit de la maison pour toujours. Pourquoi a-t-elle tué Tony Brizo ? Dix ans depuis que, jour après jour, je me pose les mêmes questions à en perdre la tête. » Oncle Gabriel toussota. Il regarda pendant quelques minutes Absalon aller et venir, enlever la vaisselle sale du petit déjeuner puis, brusquement, il laissa tomber : « Maître Théodat, quelque temps après la mort de Noémie, me rapporta son sac à main. Tu sais, Hortense, ce sac de crocodile que je lui avais acheté à Paris et dont elle ne se servait que dans les grandes occasions… » Tante Hortense sursauta : « Où l'a-t-il trouvé ? » Oncle Gabriel baissa les yeux, sa voix fut même un tantinet étouffée. Aussi toussota-t-il de nouveau comme pour racler sa gorge envahie par on ne sait quelle gourme : « Dans le brouhaha, la hâte qu'ils ont mise à emmener Noémie, personne, à part la tenancière, n'avait pensé à ramasser le sac. Elle en parla à Théodat Jean-Louis. Elle ne voulait rien garder qui rappellerait, en quelque façon que ce fût, ce drame si néfaste pour son commerce. » Puis, les yeux dans le vide, oncle Gabriel dit : « Savais-tu, Hortense, que Noémie tenait un journal ? » Surprise ! Tante Hortense l'ignorait totalement. Noémie ne semblait pas avoir de secret. Rien n'affectait sa bonne humeur. Elle prenait tout à la légère, elle riait même des insultes que le père Morelli lui lançait. Pendant tout le temps qu'avait duré l'absence de l'oncle Gabriel, elle sortait, rentrait tard le soir et personne ne savait comment et à quoi elle employait son temps. Et puis, tante Hortense avait tant à faire : le poids de la maison, la routine quotidienne, les oublis, les petits malheurs, Narcès qui arriva si inopinément ; pour Noémie, Eva Maria et Sylvain c'était un jouet, ils ne savaient pas s'en occuper. Ils étaient si jeunes encore.

*
* *

Tout, ici, tourne court. Et, quand tu crois découvrir le fond du sens, aussitôt tout se défait ; toute affirmation l'instant d'après se soupçonne. Les fils, dans cet espace-labyrinthe, filets serrés et remaillés avec un cortège de nouements et de dénouements, conduisent immanquablement à des simulacres de portes, à des fausses sorties. Que faire ? Marquer le pas, rester sur place, oui, ce serait peut-être une façon de s'en tirer si, sous tes pieds, tu ne sentais le terrain glisser, le sol se fendiller. Tu es parti à la quête de la signification de la mort de ta mère, Noémie Morelli. Cette quête a débouché sur une métaphore de toi même, une sorte de hiéroglyphe qui t'a renvoyé à toi-même ; oui, Narcès et Noémie se sont regardés dans un même miroir, se sont allumés de feux réciproques. Ah ! Quel bel exemple de dialogue muet avec une morte qui réclame son dû. Mais, Noémie Morelli, te rends-tu compte ? Tu exiges l'échange de la vie même, au plus vivant d'entre nous deux. Te rends-tu compte ? Aucun doute maintenant ne peut subsister. Cette quête a débouché sur une métaphore de moi-même, me donnant à voir ce que ta mémoire, paradoxalement et par on ne sait quelle pirouette, me prophétise. Car, elle m'a amené à découvrir l'histoire de ma famille et, par-delà, chose encore plus grave, l'histoire de mon pays, ce rocher chauve, cette terre de montagne avec sa pierraille, ses alluvions, sa mort à petit feu. Tout cela, Noémie Morelli, transcende nos modestes personnes pour scander le devenir de six millions d'hommes. Tout cela — ô miracle — se présente finalement non pas comme une fiction, mais comme la vibration même de la réalité.

*
* *

J'ai toujours vu Absalon comme un homme sans âge et pétri de bon sens. À l'en croire, rien n'a d'importance. On vit, c'est tout. On vit dans un monde où rien n'arrive, ou si peu de chose. Pour Absalon, cette vie vécue dans cette île minuscule, battue par la mer, balayée par le vent, cette vie n'offre pas beaucoup de possibilités : « Que peut-on faire devant ce naufrage quotidien, permanent, que peut-on y opposer sinon essayer de saisir l'imperceptible mouvement que l'on appelle la vie sur cette île où le temps s'est arrêté, où les rapports humains sont figés dans la posture de l'horloge qui marque à jamais trois heures moins le quart, où les êtres se croisent, se côtoient, se rencontrent, pareils à des cheveux qui se nouent, se dénouent, se perdent pour se renouer. » Quelqu'un d'autre à ma place parlerait du pessimisme radical d'Absalon. Il aurait envie de prendre ses jambes à son cou, car il pourrait estimer que ce discours, sans amidon, chiffonné, tombe radicalement en poussière. On connaît le refrain : l'homme est un être en lambeaux, il est le produit de la déréliction… Pourtant, ce discours est plein de séductions, car, tout pessimiste radical qu'il paraît, Absalon croit dur comme fer que cette clôture extrême présente des horizons infinis où le regard peut se promener. Espace du dedans, l'île est un lieu pour rentrer en soi-même ; espace du dehors, l'île est un lieu propice à la dérive, une rampe de lancement… « Et c'est ce que font tous ces vieillards croulants ; et ces petites vieilles assises sur leur perron dévidant à l'aide d'aiguilles fourchues d'interminables bandes qu'elles tricotent pour habiller le temps qu'elles n'ont plus devant elles mais derrière elles ; le temps qu'elles n'ont point vu filer dans le tic-tac des horloges de l'attente d'une fête qui n'a pas eu lieu ; et c'est ce que font tous les hommes et femmes valides, jetés là, entre mer et ciel. Fais gaffe, petit ! Car, ici, on ne réussit même pas sa mort. Fais gaffe, sinon un beau jour tu regarderas ta montre, elle marquera à tout jamais trois heures moins le quart. Fais gaffe ! » Aujourd'hui, à travers la splendide gravité des paroles d'Absalon, un courant passe. Je sens que l'énigme se dénoue. Il n'y a plus d'échappatoire possible pour Absalon. Le regard pensif, les mots d'abord imprécis tombent ensuite dru.

Depuis quelque temps, des rumeurs d'enlèvements nocturnes remuaient Trou-Bordet. On parlait de camionnettes noires non immatriculées qui circulaient la nuit, phares éteints, et ramassaient tous les chrétiens vivants qui auraient le malheur de se trouver sur leur passage. Devant l'absence de mesures concrètes de la part des autorités dites compétentes pour faire cesser les rumeurs ou arrêter les coupables, on en vint à soupçonner le pouvoir, en l'occurrence la famille présidentielle, de trafiquer dans l'ombre quelque macabre dessein pour asseoir davantage sa pérennité. On les savait responsables de la misère, de l'insalubrité, de la pestilence qui s'étendaient, voile épais, sur Trou-Bordet. On avait rejeté sur eux les méfaits, les cataclysmes naturels, pluie, cyclones, bourrasques, tremblements de terre, sécheresse, poussière, immobilité du temps. Maintenant, une rumeur brutale, tel un grondement sourd des grands fonds, se répandait dans Trou-Bordet : tous les soirs, des sacrifices humains présidés par Son Excellence elle-même avaient lieu au palais des dragons bleus. Face à cette rumeur, les premiers jours, le pouvoir fit le mort ; mais la fièvre montait dans Trou-Bordet.

L'affaire Noémie Morelli arriva à point nommé. Comme une traînée de poudre, la nouvelle se propagea. La famille Morelli, seule, était responsable des rapts perpétrés depuis quelque temps. Cette famille de loups-garous, hommes-oiseaux, secs, exsangues, affamés, depuis des temps immémoriaux erre dans la ville en cherchant éperdument des êtres de chair et de sang sur qui se poser pour sucer leur chaleur et leur vie. Qu'on se souvienne du faucon de Ruth Morelli, chargé d'enlever qui elle lui désignait. Noémie était son héritière directe. Après l'enlèvement de pauvres malheureux, victimes innocentes, ne voilà-t-il pas qu'elle s'attaque aujourd'hui, ce que jamais encore aucun Morelli n'avait osé, au pouvoir lui-même. Cette version provenait de la Camarilla ; les voix indépendantes, elles, en avaient une tout autre. Noémie Morelli faisait partie des militants du Parti communiste unifié qui avaient échappé à la grande purge de soixante-huit et qui, dans l'ombre, continuaient à saper les fondements du pouvoir. Quelle que soit la thèse accréditée, Noémie Morelli n'avait aucune chance de s'en tirer. Son procès eut lieu dans un horrible mélange où bons masques et mauvais masques se sont côtoyés. Elle fut traînée dans la fange de l'opprobre et de la diffamation.

Vint ce lundi de juin, date fixée pour l'exécution de la sentence. Les mouches avaient déjà élu domicile dans Trou-Bordet surexcitée. Le procès avait fait couler beaucoup d'encre et de salive ; l'exécution attira un nombre impressionnant de personnes. Dix mille s'étaient entassées place des Héros-de-l'Indépendance. Elles étaient venues de partout, des hauteurs huppées et des bas-fonds miséreux. Il y avait un gibet à contempler, une sorcière qu'on allait pendre haut et court jusqu'à ce que mort s'ensuive. Retenue par une brigade de sécurité à quelques mètres du poteau, la foule était bruyante et bigarrée. Le pouvoir et l'argent, eux, regardaient de loin, juchés sur des tribunes élevées exprès pour la circonstance. Tous contemplaient cette femme d'une autre espèce, d'une race distincte, pelée et galeuse. La richesse et la pauvreté traquaient la condamnée. Ordre et désordre étaient mêlés dans un échange ambigu d'injures, de prières, de menaces, de crachats, de hourras spasmodiques. Comment interpréter ces signes contradictoires ? Babel revivait à cet instant précis, place des Héros-de-l'Indépendance. Soudain, un roulement de tambours. Un silence, chape de plomb, tombe sur la foule. Un prêtre s'approcha de Noémie. C'était un petit homme chauve, vêtu d'une longue aube blanche. Il avançait d'un pas si hésitant qu'on eût dit que c'était lui le condamné. « Il n'y a plus de Guinée, murmura-t-il, il n'y a plus de Guinée, reprit-il, d'une voix plus forte. Noémie Morelli, ce sont les mots qui me viennent à cet instant suprême où vous vous apprêtez à quitter l'empire d'ici-bas, pour rejoindre celui des morts… Il n'appartient pas à l'Église de vous condamner, mais de vous accorder, si vous le désirez, le pardon et d'implorer la miséricorde divine afin que votre âme connaisse le repos éternel. Noémie Morelli, je vous parle non seulement en tant que représentant d'une Église chrétienne, mais en tant que citoyen d'un pays qui plonge ses racines dans les plus grandes traditions religieuses de l'Afrique mère. Nos dieux d'Afrique sont des dieux qui nous accompagnent dans nos malheurs, dans nos misères. Nos dieux d'Afrique ne sont pas des dieux vengeurs, des dieux du mal et du châtiment… Si vous les avez servis autrement, il nous faut, nous qui demeurons dans cette vallée de larmes, nous interroger sur ce que vos ancêtres ont fait de nos dieux et nous appliquer à redorer leur image ternie. Ou alors, il n'y a plus de Guinée. » Le petit homme s'arrêta un instant, pensif, comme s'il évaluait les conséquences d'une telle perspective. Puis, il implora pour l'âme de Noémie Morelli le pardon et le repos éternels, en effectuant les gestes habituels de conjuration et de bénédiction. « Noémie, Noémie », cria Hortense perdue dans la foule. L'espace de ce cri, Noémie avait perdu pied. Visage violacé, langue pendante, corps désarticulé. L'extra-ordinaire moment de curiosité avait eu lieu. Puisque le crime, l'innocence, le passé, le futur, l'ici-bas et l'éternel avaient été confrontés, la foule des specta-teurs se dispersa. Qui interrogeait chaque parole, chaque geste ; qui la durée de l'agonie, la vie arra-chée de ce corps, l'espace d'un cillement ; tel com-parait ce spectacle à d'autres spectacles. (« Celui, tu t'en souviens, qui a craché au visage du prêtre », « Celui qui s'est sauvé sur un cheval zébré, à l'ins-tant même de l'exécution. ») Le cycle était bouclé... La liturgie des supplices venait de briller de tous ses éclats. Au bout d'une trentaine de minutes, un sol-dat coupa la corde. Le corps de celle qui fut Noémie Morelli tomba, flasque et inerte, sur le sol au milieu de la place des Héros-de-l'Indépendance, déserte.

Bien des hypothèses, les unes plus farfelues que les autres, ont été émises sur la signification du geste de Noémie Morelli. Au fait, les choses étaient beau-coup plus simples qu'elles ne paraissaient. En tuant Tony Brizo, Noémie Morelli commettait un double meurtre. Elle savait qu'elle mettait en marche une machine qui ne pouvait que la broyer. Son geste équivalait donc à un suicide. Sous ses airs enjoués, ses allures de parasol déchiré, couvaient une vive sensibilité et un sens aigu des responsabilités. Elle seule savait pourquoi Gabriel avait été arrêté ; elle seule connaissait les motifs du suicide de Sylvain ; elle seule pouvait comprendre l'épaisseur du lien reliant ces deux événements. Tony Brizo, qu'elle avait rencontré chez des amis communs et dont elle repoussait sans cesse les avances, avait juré de la posséder. Il était de cette race d'hommes qui ne pouvaient souffrir qu'on leur résiste, surtout pas une femme. Il avait pour lui la puissance, le pouvoir. Il enferma Noémie dans le cercle d'un vil chantage.

Un couple, arrêté à l'aéroport Maïs-Gâté où il venait de débarquer, avait avoué, sous la torture, faire partie d'un mouvement révolutionnaire qui, depuis quelque temps, se livrait à une guérilla urbaine. Sur la liste des arrestations qui fut dressée, Brizo ajouta le nom de Gabriel. Quand ses hommes débarquèrent à la demeure des Morelli, comme par hasard, ce jour-là, il n'y avait que Sylvain dans la maison. Malgré leur insistance, Sylvain a soutenu qu'il ignorait où pouvait se trouver Gabriel à cette heure.

Les soldats partis, Sylvain héla un taxi et s'en fut avertir Gabriel qui, depuis deux ou trois jours, s'était réfugié chez des amis. Il n'était mêlé à rien mais, précaution élémentaire dans ce pays où l'irrationalité régnait en maître, dès qu'il avait entendu citer le nom de certaines personnes qu'il avait rencontrées à Paris comme faisant partie du contingent de guérilleros qui semait la terreur dans le rang des sbires du régime, il avait décidé de se mettre à couvert. Au moment où il entrait dans la maison où s'était caché Gabriel, Sylvain s'aperçut que les hommes de Brizo l'avaient suivi. Pour lui, le choc fut brutal. Il s'accusait d'avoir livré son propre frère.

Il ignorait tout du marché que Brizo avait proposé à Noémie : son corps contre la libération de Gabriel. Le soir où en rentrant chez elle, elle tomba sur le cadavre calciné de Sylvain, Noémie Morelli comprit qu'elle ne pouvait sacrifier la vie de Gabriel aussi à sa fierté. Elle accepta de se plier aux exigences de Brizo mais à une condition : Gabriel serait libéré d'abord. On comprend donc la hâte avec laquelle Brizo décida, malgré les réticences de son adjoint, de renvoyer Gabriel chez lui.

Ce fut dans une chambre minable d'un hôtel de passe situé à Bizoton que tout fut consommé. Tout se passa très vite, avait confié Noémie elle-même. Quand elle descendit de la camionnette qui l'avait conduite au lieu du rendez-vous, l'ordonnance de Brizo lui remit la clef de la chambre où l'attendait le commandant. Aucun doute ne pouvait subsister pour Noémie. Brizo avait décidé, en choisissant ce lieu minable, de l'humilier. Sans cérémonie, elle entra dans la chambre et se déshabilla. Sur une place lisse, entre le traversin et le repli de la couverture, Tony Brizo la prit brutalement. À cet instant précis, elle ressentit le choc de sa vie flouée. Cette trépidation, ces glapissements, cette bousculade sur son ventre la laissaient complètement froide. Faire l'amour, c'est simuler souvent les gestes de la souffrance et d'une grande déchirure. Tony Brizo, en d'autres circonstances, aurait éveillé en elle certainement des fracas d'arbres rompus, des oiseaux ailés, des bras de flammes. La folle menée de son sexe dans le sien l'aurait fait couler, comme une caïmite mûre, dans l'affolement de ses mains. Mais il y avait trop de haine en Noémie Morelli, une haine qui la maintint sous Tony Brizo, les dents serrées. Au moment de cet accouplement sauvage où Noémie Morelli ne faisait que se prêter, prêter son corps, tout se conjuguait : la poisse du jour, les haillons de la mémoire, une Toussaint belle le matin, merdeuse dans l'après-midi, cette chambre d'hôtel minable, tout, tout se conjuguait, la solitude errante d'Hortense, les souffrances de Gabriel, les délires d'Eva Maria, la mort de Sylvain, le choc des haines symboliques, les blessures archaïques, les douleurs multiples, tout, et par-dessus tout la répulsion que lui inspiraient les mains velues de Brizo ; elle ne pouvait s'empêcher de les sentir poisseuses, poisseuses du sang de ceux que, jour après jour, il torturait, poisseuses du sperme qu'il versait sur celles que, comme elle, il prenait de force. Alors, quand vint pour Tony Brizo le moment suprême, elle s'empara du revolver qu'il avait accroché à la tête du lit et lui flamba la cervelle. Des policiers défoncèrent la porte quelques minutes plus tard. Ils trouvèrent Tony Brizo aplati entre les jambes de Noémie Morelli ; elle leur dit calmement : « J'espérais que vous ne viendriez pas et que je finirais par voir les souris, les blattes et les fourmis ronger son cadavre. »

*
* *

181

Après cette saison fertile en événements, les jours suivants furent vécus dans un espace de rêve. Eva Maria, de plus en plus enfermée dans ses fantasmes, ponctuait le rythme des heures et le mouvement du jour d'un sempiternel « Allez-vous-en, mouches, je suis enceinte de mon seigneur. » Hortense, emmurée vive, ne sortait de sa torpeur que pour remuer presque imperceptiblement ses lèvres ; et, quand on s'approchait d'elle, on l'entendait murmurer des phrases à peine intelligibles : « Si tu es morte, qui m'emmènera à IFE ? Noémie, que devient notre projet ? Nous ne le ferons donc jamais, ce merveilleux voyage ? Qui m'accompagnera dans cette ville imaginaire dont nous avons si souvent rêvé, ce pays du retable des merveilles ? Qui m'y accompagnera ? Qui ? Qui m'accompagnera devant le célèbre grand maître régnant sur son trône d'opale ? Qui me fera visiter cette ville fabuleuse qui dresse ses minarets austères au sommet des falaises de verre dominant la mer ? Les gnostiques, dit-on, vieillards à barbe fleurie, y ont construit des autels aux milliers de colonnes. Qui prendra ma main et me guidera dans cette sorte d'aleph, dans ce lieu sacré parmi les derviches, les nomades et les pèlerins innombrables ? Qui m'apprendra à psalmodier leurs versets dans la pierraille de l'errance ? »

Ces paroles, presque inintelligibles aux oreilles profanes, ne l'étaient point pour Absalon qui mit au service d'Hortense toute la science que son défunt père, Antoine Langommier, lui avait léguée. Il ne ménagea ni temps ni ressources pour sortir Hortense de sa léthargie. Une nuit, des tambours se mirent à résonner d'une gamme de sonorités inédites. Les murs de la demeure ancestrale reprirent en écho leurs roulements. L'effet d'envoûtement produit était si intense, si prégnant qu'Hortense se dressa sur son lit. Elle ne voyait ni joueurs ni instruments. Elle les croyait dissimulés dans la pénombre. Elle les chercha des yeux mais elle comprit très vite que les sons n'émanaient pas de la chambre mais semblaient surgir directement de l'invisible, monter de l'au-delà, comme la voix marquée d'une puissance d'outre-tombe, l'écho venu d'un très lointain ailleurs et qui retentit mystérieusement ici-bas. Hortense se leva. Elle était nue sous la longue chemise blanche qui épousait la sveltesse de son corps. Elle, d'ordinaire si calme, elle qui narguait si souvent Noémie que le moindre battement de tambour mettait en transe, elle qui ne dansait jamais, se leva, écarquilla les jambes, s'étira en soubresauts comme un cheval enfourché tandis que sa voix se métamorphosait en une voix de gorge, une voix cassée : « Viens, regarde, je suis déjà humide, mes seins fondent, mon bassin est mou, je ruisselle de partout... viens. » Hortense, agitée, émit encore des plaintes basses et sourdes. À ce moment, les tambours, de nouveau, résonnèrent de rythmes effrénés. Elle descendit les escaliers et se retrouva dans le jardin de pierres mangées. Absalon, sans voix, s'approcha d'elle, la prit dans ses bras et sou-

dain, c'est le vertige, une danse où les pieds touche-
ront à peine le sol tandis que le vieil homme tient
dans la paume de ses mains ouvertes la cambrure
des reins d'Hortense. Ils dansent une danse limite,
une danse de faim-vie, la danse millénaire des corps
enlacés, la danse-éther des chairs transfigurées :
« Dans mon ventre, criait-elle, la voix complètement
caverneuse, il y a des étangs, des marécages, des
algues, des varechs, viens... mon marteau-pilon,
mon roc, mon poteau-mitan... Viens... dépose une
torche de feu en moi... brûle tout le pus, la bile et la
bave que j'ai en moi... toutes les puanteurs du
monde... mon ventre est un infâme con envahi par
la pourriture des herbes et des feuilles... mes bras,
comme des couleuvres, des couleuvres, des couleuvres autour de toi... oui... Ah ! Oui... Enfonce-
toi... Ah ! Oui... entre les bas-fonds du végétal et
du construit... oui ! ah ! Oui... c'est merveilleux...
oui... je te sens maintenant... je fonds... je dégouline... je... Ah ! Oui... Han ! Han ! » Hortense
poussait des cris. Hortense hurlait des hennisse-
ments quasi mythologiques d'une jument nue galo-
pant folle à travers la plaine.

Dans ma naïveté de l'époque, je ne savais pas que
je venais d'assister à l'initiation de tante Hortense au
panthéon des dieux séculaires par Absalon lui-même
qui, pour la circonstance, revêtit ses attributs et fal-
balas de grand prêtre. Je comprends maintenant
pourquoi le lendemain de cette nuit où les tambours
ont résonné si fort qu'ils avaient recouvert de leurs

sons la voix du vieux vent caraïbe, l'attitude de tante Hortense fut si étrange. Elle se leva à l'aube, enfila une robe bleu zéphyr, des sandales de cuir et noua un turban rouge autour de sa tête. Elle s'absenta durant neuf jours et neuf nuits.

Absence mystérieuse s'il en fut pour mes dix ans et qui devait trouver éclaircissement à mes oreilles, le matin du dixième jour quand, de retour au bercail, tante Hortense, au petit déjeuner, raconta à oncle Gabriel et Absalon réunis autour d'un café noir et fumant les péripéties de ce qu'elle appelait elle-même son séjour sous l'eau. Séjourner sous l'eau ? Était-ce rêve ou réalité ? Fabulation, délire ou vécu ? Je ne saurais le dire. Toujours est-il qu'aussi vrai que j'existe, je donne ma tête à couper, et que le tonnerre me fende si je mens, j'entendis tante Hortense raconter en détail ce curieux voyage sous l'eau. Il a fallu qu'elle traverse toute la ville, dit-elle. Elle emprunta Turgeau, puis le chemin de Lalue. Là, travaillée par on ne sait quel pressentiment, comme si elle était en retard à un rendez-vous, elle s'était mise à courir. « Mais où courez-vous, mademoiselle Hortense ? » lui demanda l'aveugle à l'angle de la rue Lamarre. Elle n'avait pas le temps de lui répondre. Elle courait, appelée par elle ne savait qui, pour aller elle ne savait où. Rue Pavée, une course folle, éperdue. Elle bifurqua à droite et s'engagea dans la rue Montalais. À gauche, la rue des Miracles ; à la rue des Miracles, il y avait un attroupement. Elle n'avait pas le temps de se renseigner. Elle voulait retrouver le port, la mer. Elle passa par la rue du Peuple, prit un raccourci, la rue des Fronts-Forts (devait-elle faire un nouveau détour par la rue Quatre-Escalins ?). Rue Quatre-Escalins, quelle bêtise, il y a là le marché en fer et son grouillement, cette foule grasse, cette odeur d'avocat pourri et de porcs traînés à l'abattoir, ces étals de vivres et de feuilles fraîches, ces comptoirs animés, ces odeurs d'épices… Ce serait certes plus court mais elle avancerait moins vite. La rue du Quai. Malgré l'embouteillage, les voitures pare-chocs contre pare-chocs encombrant ce sentier bec-queté de trous et de flaques de boue qu'on nomme rue, elle atteindrait plus rapidement le wharf. À bout de souffle, elle se retrouva près des embarca-dères et reconnut, sans pourtant l'avoir jamais vu, ce bateau arborant un étrange emblème. Était-ce une couleuvre enroulée en anneau, une trompette, ou tout simplement l'image d'une ancre ? Et cette ins-cription qu'elle n'arrivait pas à déchiffrer ? Était-ce Jérémie ou Jéricho ? La voilà, parmi les derniers méandres du port, parmi les quilles échouées, les ferrailles rouillées par la mer et les montagnes de sacs de charbon. Hortense, haletante, sauta sur la passerelle. On ne semblait attendre qu'elle puisque immédiatement la coque du bateau s'est mise à fen-diller l'eau. L'agitation du port fit place nette à de longs plans immobiles comme vidés peu à peu de ce qui les occupait : gens, voitures, brouettes, animaux, gestes, flots de paroles. Tout se passait comme si un vide blanc et froid avait aspiré Hortense. À partir de cet instant tout se déroula très lentement.

Hortense poussa la porte de l'unique cabine et fit face à un homme qui ressemblait étrangement à Absalon. Habillé d'une tunique de coton blanc et portant à son cou un collier fait d'osselets d'animaux. Malgré son apparence de grand arbre sec, l'homme avait un visage rassurant et protecteur. « Visiblement il m'attendait, dit tante Hortense. Il s'avança vers moi en boitillant. À cet instant précis, je percus qu'il avait un pilon de bois à la place de la jambe gauche. Je reculai, un peu effrayée, mais l'homme arborait un visage souriant et accueillant. Il me prit les deux mains en les écartant, comme s'il voulait danser avec moi une ronde enfantine. Il me fit pivoter lentement sur moi-même. Je découvris ainsi, au fur et à mesure, l'architecture de la cabine, son plafond, voûte ogivale ornée de dessins figurant invariablement une roue traversée par une croix ; les murs, recouverts d'inquiétants bas-reliefs représentant, sous forme de diagrammes, aussi bien l'espace que le temps, la science des nombres et les corps stellaires. Au centre, béait l'ouverture circulaire d'un puits dont la margelle était décorée d'images sacrées. La porte refermée, aucune lumière ne pénétrait dans cette cabine où se dégageait une tenace odeur de poisson. La pièce était sombre, faiblement éclairée par une lampe à kérosène que l'homme tenait à hauteur de ses yeux. Cette lampe brillait si faiblement que ce n'est que petit à petit qu'on pouvait se rendre compte des détails. Soudain, le son d'une flûte ! La noirceur, la puanteur de cette crypte et le son de la flûte ont éveillé en moi une sensation de nausée qui ne m'était pas familière. » Hortense se rappelait avoir pivoté sur elle-même, une fois, deux fois, trois fois, jusqu'au vertige. Était-elle tombée dans le puits ? Quand elle rouvrit les yeux, l'homme avait disparu. L'eau ruisselait sur son corps. Elle voulut crier, mais sa voix était étouffée. Elle ne réussissait qu'à produire un gargouillement. Elle avait de l'eau dans la bouche et ses cris étaient devenus des cris d'eau, des cris dans l'eau, des cris sans voix, sans portée. Cette sensation d'étouffement ne dura que quelques secondes. Puis, Hortense émergea dans un couloir obscur ; Hortense marche. Elle marche dans le noir et, curieusement, elle n'est pas effrayée. « ... des ténèbres de paix, dira-t-elle, et au loin, très loin, un point de lumière... » Elle est même heureuse, en proie à un maelström de forces créatrices qui met sens-dessus-dessous tous ses sens. Ce couloir est long comme un col utérin et tout y serait silencieux, n'était, par à-coups, le bruit sec de quelques gouttelettes d'eau suintant du plafond. Elle arrive au bout du couloir. Ce n'était pas un point de lumière comme elle l'avait cru, mais une aire ouverte, une place, une sorte d'esplanade vivement éclairée, écrasée par le soleil de midi. Un garçonnet y joue, en compagnie de trois femmes assises en fer à cheval. Elle n'aperçoit que leur profil ! De temps en temps une d'entre elles lève le bras vers le ciel, main ouverte, paume tendue, tandis que le petit garçon saute en silence une marelle dont le ciel est une barque, une grande barque remplie de tulle blanc, doux comme les linges d'un berceau. Il a probablement dix ans et ses pieds sont nus. Il porte un pantalon bleu et sur son torse nu un sac à dos au bout duquel pend une gourde. Dans cette gourde, il y a de quoi boire et c'est pour boire qu'il s'est arrêté, sous l'œil impavide des femmes. Il s'ensuit un long moment de silence ponctué par le bruit de l'eau dans la gorge du garçonnet. Puis, il se tourne et offre sa gourde à Hortense. Elle avait soif. Le gamin disparaîtra après avoir repris sa gourde, sans que les femmes ne bronchent ni le rappellent. Hortense s'avance vers elles, timide. Elle remarque, alors, qu'elles jouent aux osselets. Elles semblent heureuses, complices, conscientes de leur bonheur, entières et très libres. Préfiguraient-elles l'aube sereine de la femme ? Le moins que l'on puisse dire, c'est qu'elles n'avaient plus besoin de l'agressivité, cette brutalité des victimes. Hortense ne les dérangea pas et continua à marcher. Le terrain descendait en pente douce vers une vallée. Six grandes allées partant de l'esplanade convergeaient toutes vers ce qu'elle crut être le centre de la place. Elle continua à descendre, elle rencontra, croisa, observa des gens appartenant à toutes les races mais, ici, ils semblaient dépouillés de tous privilèges ancestraux, de toutes tares congénitales. Hortense un moment fut effleurée par l'idée qu'elle atteignait ici le lieu de la mort. Alors, elle commença à avoir peur et sa peur ne cessa de grandir, de se multiplier jusqu'à provoquer chez elle une sensation de suffocation, d'étouffement, perdue qu'elle était dans cette foule plus nombreuse qu'à Babel, ne craignant plus ni vents, ni pluies, ni orages car en ce lieu, toutes les contradictions semblaient résolues : les étages du temps ne s'opposaient plus les uns aux autres et les astres ne se faisaient plus la guerre, cette guerre sans merci qui prend souvent pour visage le désordre de Babylone, les poubelles du Bronx, la boue de Calcutta, les volcans de Palerme, la sécheresse de Bombardopolis, la pestilence de Trou-Bordet.

Elle dut se frayer un chemin à travers un îlot de personnes dont elle ne put identifier ni le sexe ni l'âge, qui se livraient à des danses dionysiaques. Elle aperçut de loin, occupant le centre de la vallée, un arbre. Elle crut, un instant, qu'il s'agissait du mapou, l'arbre à palabres, mais en levant la tête, elle vit que les branches du sommet rappelaient un dolmen : deux branches verticales en soutenaient une troisième placée horizontalement.

Elle avance vers l'arbre. Elle croise des passants qui la saluent, les mains jointes, la tête inclinée. Elle prête l'oreille ; ils parlent une langue complètement inconnue qu'elle comprend sans effort. Elle avance vers le mitan de la place car elle veut toucher de ses mains le tronc de l'arbre qui ressemble au col d'une amphore renversée. Elle avance, à pas lents, précautionneux. Tout à coup, elle se retrouve face à face avec une femme à la peau couleur de caïmite. Étrange beauté ! pense Hortense. Elle n'avait point remarqué (du moins pas encore) qu'elle ressemblait trait pour trait à Noémie Morelli. La femme est vêtue d'une robe ornée de dentelles, on dirait de petites nageoires de poisson. La robe, elle-même moule à un tel point son corps qu'elle pourrait passer facilement pour un poisson de grandes eaux. Elle porte à son cou une parure éclatante : un cœur sculpté en or. Hortense scrute le visage de la femme. Elle est le sosie de Noémie. Une sorte de double d'elle, une dizaine d'années auparavant. A-t-elle lu un peu de frayeur dans les yeux d'Hortense ? Aussi, c'est d'un ton très doux, très tendre qu'elle dira, en caressant les cheveux d'Hortense : « Je m'appelle Naïda. » Pendant un instant, Hortense a le goût de se présenter, mais elle arrive très vite à la conclusion que toute présentation serait inutile. Naïda semblait la connaître depuis des années. La phrase suivante enferma tante Hortense dans cette conviction : « Il y a longtemps que nous t'attendons. Pourquoi as-tu tellement tardé en chemin ? » Hortense se rappelle avoir entrouvert les lèvres. La Vénus noire s'empressa d'y déposer un doigt : « Ne dis rien… Ne dis rien. Je sais. Viens, viens vite. Cela fait des années que je t'attends. » Hortense eut un moment d'inquiétude. Naïda passa son bras autour de sa hanche. Hortense s'aperçut alors qu'elle portait une alliance de mariage à chaque doigt de la main : « Ce sont des bagues que m'offrent mes amants, dit-elle.

191

Ils sont tellement nombreux que bientôt je ne saurai plus... » Elle ne termina pas sa phrase et ferma les yeux, s'abandonnant au mouvement langoureux de leur démarche, hanche contre hanche. Hortense fermera aussi les yeux, se sentant légère, vaporeuse, inondée d'une douce brise. Soudain, à l'approche de l'arbre, un jet d'eau jaillit de dessous un cercle de maçonnerie tracé à la base de l'arbre et grimpa très haut dans le ciel pour retomber en cascade de gouttelettes multicolores, comme une fontaine lumineuse, ajoutant un nouveau cachet à la féerie des lieux.

Hanche contre hanche, elles avançaient. Bientôt elles arriveront devant la cascade. Les yeux d'Hortense n'en avaient jamais vu de plus fantastique. Naïda, avec un sourire qui découvre ses dents nacrées et ses gencives de couleur violette, le visage à quelques centimètres du visage d'Hortense, invita celle-ci à étreindre le tronc de l'arbre parce que, dira-t-elle, « l'arbre est l'axe géométrique de la vie, l'Hiram-roi du Temple qui explique la possibilité des métamorphoses... » Hortense ferma les yeux, grisée par cette vision proche de l'hallucination. Naïda alors la caressa : le cou, l'échine dorsale, la hanche. Imaginez sous la chute d'eau les doigts de Naïda caressant le corps d'Hortense Morelli. Tout à coup, l'arbre se mit à bouger. La respiration d'Hortense changea de rythme, comme si elle allait aborder les rivages du haut jouir. À cet instant précis, elle se rappela avoir entendu au creux de son oreille la voix de Naïda : « Ici gisent l'eau et l'ombilic des limbes. Ici gît la mouvance de toute vague… » Hortense était heureuse, sous la chute de l'eau. L'arbre bougeait et elle le sentait bouger. Comme un ruisseau qui coule, la voix de Naïda susurrera encore : « Tu viens de loin, comme un lézard aveugle sous la pierre du soleil, sans défense. Tu viens de loin, tu as la fièvre. Fièvre, fièvre, fièvre palmifide sous ta chaleur de gazelle zébrée. Tu viens de loin, de tes petits pas fatigués, traversant la meute des bêlants. Ici gît le bout de la rumeur. Qu'elles sont lointaines, les plages de la mémoire, Hortense ! Ne prends pas à mal ce que je vais te dire. Coque d'un navire naufragé, tu es une épave bercée et rejetée par la mer. Ne prends pas cela en mal, Hortense, tu as connu des saisons de vents et de clameurs. Ah ! Malheureux pays que le tien, rocher chauve traversé par les charrettes du temps. Ah ! Qu'elles sont impitoyables, les charrettes du temps. Elles laissent des alluvions de pétales morts. Quand, dans quelques jours, la mer, tel un démiurge, de nouveau t'aura mise bas, ce ne sera pas encore un présent de pluies d'étoiles et de confettis. Pas encore, Hortense. Mais s'il est une leçon à tirer de ce séjour parmi nous, honore la science des nombres, la griffure des pas dans les sillons, le grain de sable et les mains qui bâtissent, honore les tambours somnambules et la cambrure des épaules nues courbées sous le soleil. » Tante Hortense s'agitait de plus en plus. Elle était en transe hors d'elle-même · « Oui, oui », cria-t-elle. Elle crut qu'elle s'enfonçait plus profondément sous l'eau. Soudain, le silence. Elle ouvrit les yeux. Naïda avait disparu.

Hortense se retrouva dans la ville d'une blancheur éclatante, au milieu d'une foule de gens heureux, tranquilles et sans spasmes. Le soleil illuminait la ville. Il faisait chaud. Une chaleur vivifiante. Elle séjourna neuf jours environ dans cette ville où elle se livra à des activités qui n'avaient d'autre relief que la beauté du quotidien : jouer aux osselets, chanter des hymnes bucoliques, boire du miel et dormir à l'ombre. Un matin, au sortir d'une nuit sans histoire, elle se retrouva brusquement dans la crypte faiblement éclairée par la lampe à kérosène. Le vieil homme était encore là. Il souriait et son sourire accusait la survivance de quelques dents jaunies probablement par la nicotine. Sur la margelle du puits, elle remarqua un livre très ancien, à la reliure usée, aux pages cornées. Elle se précipita sur le livre. Elle n'eut même pas le temps de lire le titre et voulut tendre la main pour s'en emparer. L'homme s'avança en claudiquant et lui dit : « Non, ma fille, tu ne pourras pas l'emporter. Ce n'est pas un jouet pour les chrétiens vivants. » Hortense se souvint d'avoir pivoté trois fois sur elle-même et de s'être retrouvée dans Trou-Bordet longeant, d'un pas paisible, l'avenue Turgeau.

7

L'HERBE RAMPANTE

Trou-Bordet craquait de toutes parts sous le soleil de juillet. Ville datant de l'époque coloniale et qui connut ses heures de gloire sous l'occupation américaine, Trou-Bordet n'était pas matériellement équipée pour loger deux cent mille personnes. Aujourd'hui, elle en abritait huit cent mille dont vingt mille domestiques et cinq cent mille sans-travail. Le vieux vent caraïbe balayait, à cœur de jour, ses égouts à ciel ouvert, soulevant avec la poussière la puanteur des excréments. Trou-Bordet semblait être métamorphosée en une immense fosse d'aisances. Cela ne l'avait pas empêchée, pendant le mois de juillet, de s'emplir et se désemplir de touristes nord-américains venus, par vagues successives, faire leur petite visite au zoo caraïbéen, contempler les vestiges d'une civilisation archaïque. Il leur était impossible de s'aventurer à pied dans les larges avenues qui ceinturaient la place du Palais des Dragons bleus, n'ayant point à leur disposition, comme dans toute ville digne de ce nom, des feux de circulation réglementant le flux des voitures, des piétons, des quadrupèdes errants et des anophèles carnivores qui avaient élu domicile dans le feuillage touffu des bégonias et lauriers ornant la place des Héros-de-l'Indépendance.

Armés de caméras et de zooms, les touristes ne rataient pas une occasion de mitrailler les péquenots accompagnés de leurs péquenotes, venus en ville, comme ils disent, pour « bousquer » la vie. Faute de quoi, ils rejoindront des milliers d'hommes, de femmes et d'enfants de cette terre, qui s'étaient expatriés, accomplissant pour leur survie dans les mégalopolis des quatre coins du globe les besognes les plus innommables. Nombreux étaient ceux partis sur de frêles esquifs pour Babylone, la Poubelle de Dieu, pour la Cité des Glaces, les Réserves de Diamant, baluchon sur le dos avec, logé dans un coin de leur cœur, l'espoir qu'ils n'y vivront pas jusqu'à la fin des temps. Et, clament-ils aux quatre vents, même si le procès du retour sera long, lent, difficile, improbable même, les survivants reviendront planter leur clou de girofle, leur grain de petit mil ou de térébinthe, car c'est ici, sur la rocaille caraïbéenne qu'ils sont nés ; c'est ici que leur cordon ombilical a été enterré ; c'est ici qu'ils reviendront, comme les saumons de Paspédiac ou les éléphants du Kenya, remontant les rivières et les drains de l'exil, reposer et inhumer la cendre de leurs os fourbus. Et, pendant que ces hommes et ces femmes consumaient leur espoir sur les routes et la pierraille de l'errance, les occupants du Palais des Dragons bleus, convaincus de leur pouvoir, sûrs de leur éternité, ne donnaient plus, depuis le début de l'été, signe de vie, abandonnant la population à la famine, à la sécheresse et à la maladie.

Quand les touristes nord-américains étaient las de misères, ils allaient visiter la zone périphérique de Trou-Bordet. Là, dans des sites champêtres, loin des rumeurs de la cité, des villas tranquilles, oasis de paix, occupées par ceux qui depuis la colonie s'enrichissent dans le négoce, la transaction et la politique, étalent leurs jardins fleuris, leurs piscines, leurs parasols multicolores.

La nuit, ils fréquentaient les lupanars qui par centaines faisaient la nique aux églises et aux temples. Véritable tonneau des Danaïdes, Trou-Bordet, pendant tout le mois de juillet, s'était empli et désempli de touristes nord-américains.

Puis, voilà qu'un matin de la mi-août en chaleur, une odeur encore plus nauséabonde nappa Trou Bordet. Elle ne parvenait pas des huit cent mille habitants qui, chaque jour et plusieurs fois par jour pissent, défèquent, font l'amour et se livrent à toutes activités que nous, bipèdes, connaissons. Elle ne s'exhalait pas du béton des larges avenues ceinturant la place du Palais des Dragons bleus ni des bégonias et lauriers qui la fleurissaient, ni du souffle de la statue du « Marron inconnu » dont le lambi vainement appelait au rassemblement, voire au soulèvement contre cette nouvelle forme d'esclavage. Trou-Bordet était investie de l'odeur inéluctable de la vie quand elle s'est retirée du corps, après plusieurs jours. Cette pestilence chassa les derniers touristes de la saison. Indubitablement, elle venait du Palais, situé au centre, tout au centre de la place. Il était d'ailleurs fermé depuis le début de l'été ; les barrières solidement verrouillées, les abords immédiats interdits au public. Parvis déserts, portes et fenêtres condamnées, on eût dit un aquarium sans eau où les factionnaires ressemblaient à des poissons assoiffés, tant était grand l'effort qu'ils faisaient pour respirer, écrasés par la chaleur et la putridité.

À la rentrée d'octobre, Trou-Bordet connut un regain de frénésie. « La Voix de la République », à travers les haut-parleurs placés aux quatre points cardinaux, promettait des prodiges de civilisation, des autoroutes de pénétration dans les territoires de cannaies et de riz, l'édification d'hôtels et de casinos climatisés et, sur les flancs des mornes desséchés et crevassés, la construction de villas, véritables paradis de fraîcheur pour solitudes blessées. L'exaltation était telle qu'on pouvait croire que toute la ville devait être remorcelée, le moindre terrain vague construit. Les fourrés traversés de chemins creux, les boqueteaux disparurent pour faire place à des chantiers de construction. Le père de la Nation, dans un vibrant message, annonça la disparition du marché de la Saline, cet ancien marché d'esclaves du temps de la colonie. En plus du souvenir douloureux qu'il rappelait à tous les citoyens libres depuis plus de cent cinquante ans, le marché était le centre de toutes les épidémies qui sévissaient à Trou-Bordet. Il serait remplacé par un moderne *shopping center*. Trou-Bordet sombra dans une sorte d'hallucination collective peuplée d'images vertes.

Les banques s'étaient mises à pousser comme des champignons. La Banque de Paris, la Chase Manhattan, la Banque de Boston, la Banque de Chicago avaient leur filiale à Trou-Bordet ; signe évident d'une relance économique. Les grands commis de l'État étaient devenus de véritables pigeons voyageurs, sillonnant le monde, offrant aux puissances d'argent des avantages d'investissements à bon marché.

Au début de décembre, suprême cadeau de Noël du père de la Nation à son peuple, on annonça que l'empereur d'Éthiopie, le Roi des Rois, l'héritier direct de Salomon, en personne, viendrait nous visiter à l'époque du carnaval.

Depuis, cantonniers et éboueurs s'affairaient. Trou-Bordet devrait être propre. La pelouse de la place des Héros serait tondue à ras. Les sécateurs, de toute leur sainte vie, n'auront jamais tant servi : ronces, orties, feuilles mortes, herbes sauvages étaient traquées jusque dans leur ultime retranchement. Obligation était faite aux propriétaires de rafraîchir les devantures de leur maison. La Chambre des représentants du peuple dut voter un crédit supplémentaire de douze millions de gourdes pour combler les dépenses que la visite du Roi des Rois allait occasionner. On retapa les monuments publics : le Mausolée, le Calvaire, le Palais national.

Au Bel-Air, on remit sur pied une fontaine délaissée depuis un siècle. On ne la regardait plus ; sa valeur utilitaire, au fil des ans, avait fini par masquer sa valeur artistique. Pour ébarber la colonne cannelée, haute de plus de vingt pieds, qui servait de socle à « Madame Colo », cette déesse de la liberté, pour lui redonner son éclat des grands jours, pour qu'elle retrouve sa splendeur d'antan, on importa d'Europe des mains expertes. Elles firent revivre les deux longs portiques dont les architraves reposaient sur des piliers trapus et soutenaient une table circulaire qui servait de bassin à recueillir une eau irisée. Celle-ci s'était mise à rejaillir de six gueules de lions qui, placés en bas-relief, semblaient défendre la déesse de la liberté.

Au Champ-de-Mars, on érigea, pour la circonstance, une tribune en bois de cent cinquante mètres de long par vingt mètres de profondeur. La partie centrale assez élevée forma voûte, tandis que des deux côtés d'immenses appentis étaient destinés à recevoir plusieurs milliers de personnes. L'éloquence s'apprêtait à triompher et à conquérir les foules les plus hostiles, les plus travaillées par la misère, la faim et le dénuement. Les cours Pisquette, Fourmi, Brea, Mouzin furent pavoisées de banderoles aux couleurs de l'Éthiopie mariées au bicolore de la République pour témoigner de l'importance de cette visite historique, et saluer, par-delà quatre siècles de séparation, la rencontre avec l'Alma Mater. Pendant des semaines, Trou-Bordet ne respira plus que chaux vive, louanges et bénédictions.

De mémoire de chroniqueur, il faut remonter à ce fameux dimanche d'avril 1842 pour retrouver à Trou-Bordet cette ambiance de guirlandes, de fastes et de pompes. En ce temps-là, pour asseoir son pouvoir, Faustin Soulouque faisait feu de tout bois : assassinats sélectifs, incendies, massacres d'opposants, tueries muselèrent bouches et pensées discordantes. Les bruits, les phénomènes les plus grotesques faisaient sens : la naissance d'un chevreau pourvu d'une dent d'or, les morts subites, l'arrivée de sœurs siamoises, l'apparition à diverses reprises dans le feuillage d'un palmiste, à Morne-à-Tuf, d'une Vierge noire portant le Célèbre Enfant dans ses bras assurèrent ce climat de mysticisme qui imprégna le pays dans tous ses tissus. Trou-Bordet, les bourgs avoisinants, les campagnes les plus reculées, le pays tout entier étaient convaincus que les dieux ancestraux et le ciel approuvaient le projet de donner une couronne à Faustin Soulouque. Les autorisations nécessaires du Vatican obtenues, on entama sans délai les préparatifs de la cérémonie : on plaça commande de couronne, globe, sceptre, main de justice auprès du célèbre bijoutier parisien Rouvenat.

Le dimanche dix-huit avril 1842, à trois heures du matin, la ville fut réveillée par les notes claires et vives de la diane. Volées de cloches, roulements de tambours, salves d'artillerie, éclats de cymbales ponctueront cette journée de grands vents au cours de laquelle on verra défiler une grasse foule de militaires et de civils, des corps constitués de l'État, des corps consulaires, des invités de marque, des carrosses de grand luxe, couronnés d'aigles et attelés de chevaux blancs. Or, rubis, saphirs, diamants irradièrent les fêtes du couronnement. Ce fut le règne du persan, du velours, du cramoisi, du rouge grenat rehaussant l'éclat des pages vêtus en abeilles dorées, des parures de chevaliers, de barons, de comtes, ducs et duchesses, tandis que le ciel caraïbéen était constellé de feux d'artifice, de pluie d'étoiles et de ballons incandescents. Les festivités durèrent huit jours. Le très glorieux et très auguste empereur Faustin Soulouque couronné, intronisé, pensait avoir assis son règne pour l'éternité. Mais Trou-Bordet est une terre glissante. Quatre années plus tard, en décembre 1858, à la veille des fêtes de Noël, l'empereur, placé sous bonne escorte, dut gagner un pays étranger. On vit alors ducs, comtes, marquis, chambellans, comme des hibous aveuglés par la lumière du jour, s'enfuir avec épouvante. On ramassa dans les rues de la ville des charretées de croix Saint-Faustin, de bâtons de maréchal, d'habits chamarrés brodés d'argent et d'or. On en fit provision pour le prochain carnaval.

La visite du Roi des Rois rappela ces grands jours fastes de l'empire. Le siècle avait changé et comme il est devenu ridicule, démodé, archaïque de se faire couronner soi-même, on emprunte des rois, des princes et des reines. On les reçoit, avec splendeur, dans l'espoir que cette théâtralité, cet apparat frapperont l'imagination populaire et contribueront à asseoir davantage son pouvoir.

Le Roi des Rois arriva à la mi-février. Toute la ville fut concernée : le négoce grand et petit, les écoles privées et publiques, l'Église et l'armée. Les officiels revêtus de leur habit de gala, les haut-gradés chamarrés de décorations occupèrent les places d'honneur de la tribune du Champ-de-Mars. La population incitée par la radio et la télévision à faire montre de dignité, de prestige et de propreté se mit en grands frais, sur son trente-six. La veille, la police, toutes dents effilées, avait raflé mendiants et estropiés et les avait refoulés à l'extérieur des portails de la ville. Tout était sous contrôle. Le matin même, des camions débondés déversèrent des grappes de paysans cueillis de force dans les profondeurs des campagnes par des miliciens zélés. Pour ces paysans, ce n'était qu'un aller simple. Après le passage du Roi des Rois, ils seront abandonnés dans Trou-Bordet et viendront grossir les cohortes de grappilleurs, de malandrins, de guenilleux et de sans-souliers.

Le cortège longe l'avenue principale de Trou-Bordet. Il est là, le Roi des Rois, à portée des regards. Dans une limousine décapotable, le petit homme brun souriant se tient debout sur la banquette arrière. Il salue de la main et de la tête les deux côtés de la rue pavoisée de fleurs, de guirlandes et noyée de confettis. Des majorettes défilent majestueusement derrière la musique de circonstance jouée par l'orchestre de la garde présidentielle.

Le malheur n'a pas de klaxon. Cette visite va être marquée par un incident qui restera gravé dans les mémoires. En effet, tandis que le défilé grossit boulevard Jean-Jacques-Dessalines, à la rue de l'Hôpital se déroule un tout autre spectacle. Rue de l'Hôpital, rue singulière ! Certaines odeurs la caractérisent, surtout dans le tronçon localisé entre la rue du Champ-de-Mars et la rue des Forges. Le versant Est institue l'univers du chloroforme, de la teinture d'iode et de l'alcool camphré. Ces odeurs proviennent de la salle d'urgence de l'hôpital général qui donne son nom à la rue. Le versant Ouest est imbibé d'alun, de chrome et de naphtol, produits dont on se sert pour rendre imputrescibles les peaux de bœufs et de cabris. Rue de l'Hôpital, c'est le royaume des cordonniers au visage hâlé, brun maure ressemblant grain à grain à la peau couleur de tan dont ils se servent pour fabriquer des escarpins à bon marché. La rue de l'Hôpital est pavée de boutiques de cordonniers. Le mot boutique est un bien grand mot pour désigner cet étal de fortune juché sur le trottoir. Les cordonniers, cette race tenace d'artisans, ont leurs genoux pour établi. Desilhomme, depuis l'aube, avec un marteau, frappe le cuir sur son genou nu métamorphosé en enclume. Agnès, à ses côtés, coule le café dont le fumet arrivera à vaincre, durant quelques secondes, la putridité des eaux saturées de tan et livrées aux poussières de l'air.

Eva Maria débouche rue de l'Hôpital. Derrière elle, deux gosses au ventre gonflé comme un tambour tambourinent une marche nuptiale sur des peaux de chèvres tendues entre deux cerceaux de bois munis de grelots. Le bruit attire petit à petit une meute de curieux, en sorte que tout un cortège suit Eva Maria quand elle vient à passer devant les étals des cordonniers. « Cela ne peut continuer, murmure Desilhomme brusquement, en levant la tête, il y a des asiles ; le Service d'hygiène publique devrait intervenir ; le bien-être social ; cela n'a aucun bon sens ! Elle ne peut pas continuer à circuler comme ça devant nous. On a au moins droit à notre tranquillité d'esprit. » Agnès laisse un moment sa cafetière pour suivre des yeux Eva Maria qui passe tranquillement de l'autre côté de la rue : « Oui, père, cela n'a aucun sens. » Eva Maria ne semble pas entendre ces réflexions. Elle foule d'un pas assuré le macadam. « Il est vrai, enchaîne Agnès, qu'elle ne fait pas de bruit, qu'elle est plutôt du genre calme ; mais as-tu remarqué, père, la façon dont elle est parée ce matin, non, trimbaler tout ce bataclan… » « Quel pays ! Quel gouvernement ! » marmonne Desilhomme d'un ton sentencieux, apparemment sans rapport avec la scène. « Mais quel crime est-elle en train de payer ? » s'inquiète Agnès. Desilhomme dépose le marteau et le cuir. Il fait quelques pas, question de se dégourdir les jambes, et lève les bras vers le ciel. « Où est Dieu ? Où est Dieu dans tout cela ? » crie-t-il et comme ses exclamations n'ont pas l'air de trouver écho, il se rassied, pose son coude sur sa jambe tandis que sa main soutient sa mâchoire. Eva Maria est arrivée presque à sa portée. Desilhomme baisse la voix : « Moi, si j'avais un membre de ma famille atteint d'une telle maladie (il fit un petit signe de croix et tapa sur le bois sec du bout de la table), je ne sais pas ce que je ferais… Ah ! Ma fille, qu'elle te serve d'exemple. Tu vois jusqu'où peut mener la folie d'amour… Non, non, ce n'est pas possible. Où sont passées les autorités ?… Cette ville !… Quel pays ! » Eva Maria est devant lui. Desilhomme racontera plus tard que, ce jour-là, quand il regarda Eva Maria dans les yeux, il eut l'impression de se trouver nez à nez avec l'au-delà, dans sa dimension de terreur, de croiser la négation même du regard, de rencontrer une braise dont l'éclat aveuglant devait ressembler aux flammes de l'enfer. Quand il dévisagea Eva Maria, il crut mirer la terrible face d'une gorgone et deve-nir lui-même son double ; zombie fasciné, à contemplait cette face de l'invisible, cette âme qu'on eût dit évadée d'une bacchanale de Lucifer.

La saillie de ses épaules nues et basanées émer-ge et palpite sous les mailles d'une dentelle ajourée, richement travaillée, agrémentée de petites fleurs opaques et variées. Taillée d'un seul morceau dans un linon blanc, la robe légèrement ajustée à la taille recouvre le corps d'Eva Maria de la naissance des seins aux talons. Le bas reprend les mêmes motifs de dentelle du haut du corsage. La délicatesse de cette guipure atteste qu'elle n'a point été fabriquée à la machine, mais qu'une main habile l'avait brodée au prix de longues nuits de veille et d'insomnie. Un énorme collage occupe tout le pourtour de la jupe, largement évasée et gonflée par une tarlatane. Pour le réaliser, Eva Maria a dû utiliser des découpures de magazines qu'elle a alliées à des objets réels : images de gratte-ciel et de poteaux indicateurs, d'interventions chirurgicales à cœur ouvert, de débris d'avions explosés en plein ciel, de restes de membres humains, de cadavres dépecés, d'échafauds, de gibets, de guillotine, de jouets d'enfants, d'automobiles du début du siècle, de chars d'assaut, de tanks de guerre. Entre deux découpures, des articles ménagers, des cadavres de blattes éventrés, des pierres ponces, des épines d'acacia, des coquilles d'œufs vides, des dés à coudre, des fourchettes, couteaux et autres ustensiles pour les manières de table, des morceaux frais de viande saignante, des filets de morue séchée, des variétés infinies de pinces, bistouris, des clous de girofle et des graines de carvi ; bref, les images les plus baroques mêlées aux objets les plus hétéroclites. Sur sa poitrine droite, elle avait dessiné un sein blet, tuméfié, dévoré par un chancre et traversé d'un biberon emmanché d'une tétine rongée. Eva Maria porte sur elle les règnes animal, végétal et minéral réunis exceptionnellement dans un moment d'apocalypse.

Elle marche.

Eva Maria marche d'un pas lent, mesuré, le pas d'une mariée gravissant les marches d'un autel imaginaire, au rythme de deux jeunes tambours. Sur son bras gauche, replié en biais, elle porte une gerbe de fleurs. Celles-ci ont l'aspect métallique des productions artificielles qui ornent habituellement les sépultures de luxe dans les grands cimetières. Çà et là sont piquetés des roses, des œillets, des lilas et des jasmins blancs. Les tiges disposées toutes dans le même sens sont retenues par un ruban au bout duquel pend l'image d'un utérus béant, vomissant des fœtus sanguinolents, certains unijambistes, d'autres infirmes d'un sexe ou arborant des têtes d'hydrocéphale.

Eva Maria marche.

Au niveau de la rue des Miracles, le cortège d'Eva Maria rencontre l'autre cortège. Genoux contre terre, elle avance vers la limousine du Roi des Rois. Cette scène non prévue au programme prend au dépourvu les organisateurs. Le cortège s'immobilise. Eva Maria avance lentement sous le regard pétrifié des gardiens chargés de veiller à la sécurité du visiteur. Arrivée à portée de la voiture officielle, elle se lève et tend sa gerbe de fleurs au Roi des Rois. Celui-ci grimace un sourire, hésite une fraction de seconde, puis allonge la main pour recevoir le bouquet. Eva Maria, alors, d'un geste brusque, lui lance un jet de salive au visage et se fraie, en courant, un chemin à travers l'opacité de la foule. Regards muets et blêmes. Des membres des services de sécurité revenus de leur stupeur se précipitent et courent après Eva Maria. Le petit homme brun, de sa main nue, essuie la salive qui dégouline sur son visage. Il ne comprend visiblement pas ce qui lui est arrivé. D'ailleurs, qui pourrait comprendre ? Les agents de la sécurité réussirent à rattraper, deux rues plus loin, Eva Maria. Elle fut assaillie de gifles, insultes, coups de pied, coups de crosse de revolver. Elle ne se défendit même pas. Agnès déclara qu'on la vit, à ce moment-là, arborer un large sourire. À travers la fenêtre grillagée du fourgon où la police l'avait jetée, des curieux rapportent n'avoir vu qu'un profil ensanglanté qui n'arrêtait pas de sourire.

Depuis, on ne revit plus marcher de son errance permanente ce visage fissuré de douleurs multiples, ce visage qui, quel que soit l'angle de vision, était toujours vu de profil, profil torve, poussant un cri muet et pourtant audible, presque insupportable. Le geste d'Eva Maria, que désormais on appellera la Mariée, sera chanté aux quatre points cardinaux du pays. Elle était devenue un personnage de légende. Des gosses qui, un soir au clair de lune, avaient déserté en toute hâte leurs aires de jeu, rapportent avoir vu pointer son ombre à l'horizon. La chronique bavarde rapporte que des mères avaient avorté de fœtus à la seule vue d'Eva Maria quand elles n'avaient point accouché lors même que leur période de parturition fut loin du terme, d'enfants nés difformes, car au cours de leur grossesse elles avaient seulement rêvé de la Mariée, une nuit de sommeil agité. On cite le cas de femmes frappées d'aménorrhée, de ménorragie parce que, marchant paisiblement dans les rues, elles avaient senti tout à coup une présence à leurs basques et quand elles se seraient retournées, elles se seraient vues face proche de la face d'Eva Maria, déambulant tranquillement sur l'asphalte frais de la ville. On parle de Jacinthe Estinval, belle et langoureuse nubile, qui ne revit jamais plus pour l'éternité son flux menstruel. Surprise en pleine rue par le jour de son cycle et voulant éviter les regards sarcastiques d'une bande d'amoureux naguère éconduits, réunis sous un lampadaire, elle longeait en catimini un long mur, la robe repliée entre les cuisses. À l'angle de la ruelle Piquant, sur le versant adjacent au cinéma Paramount, elle heurta la Mariée. Jacinthe Estinval ne revint à elle-même que dans l'ambulance qui, à grand renfort de sirène, la conduisait à l'hôpital. Elle y séjourna plus d'un mois, disputée par les cardiologues, les psychiatres et les gynécologues. Le seul nom de la Mariée suffit à ramener à la sagesse le pubère le plus turbulent, au silence la pucelle la plus délurée, et dans les rangs la nubile la plus dévergondée. Même les barbus et les ménopausées la retrouvent dans leurs cauchemars, dansant calmement, pieds nus et poudrés sur les bitumes des trottoirs de la ville. La Mariée habite l'imaginaire collectif.

*
* *

Après le passage du Roi des Rois, l'air se raréfia dans Trou-Bordet. Une ambiance d'insécurité, d'abandon et de mort étendit, de nouveau, son filet sur la ville et les régions avoisinantes. Le tissu même de l'espace avait changé : plusieurs cataclysmes, cyclones, ouragans et pluies avaient rythmé, scandé le temps tandis que plusieurs personnes se plaignaient d'avoir vu des dragons cracher des bras de flammes, des chouettes ululant voler en plein jour, des moutons mettre bas des nains qui, à peine nés, s'évanouissaient en fumée. Le dimanche des Rameaux, un prédicateur de la Mission baptiste américaine de Fonds-Monbin a cru devoir, du haut de sa chaire, mettre les paysans de cette zone en garde. D'après les déclarations publiques de cet homme de foi, sa femme, la veille au soir, l'avait échappé belle, car des cagoulards avaient tenté de s'emparer d'elle à l'aide d'un lasso. Du reste, confirmait l'homme de foi, Bible à l'appui, ce n'était pas le premier cas enregistré dans la zone. Ce sermon mécontenta les hautes sphères du régime et l'ordre fut intimé de procéder immédiatement à l'arrestation de ce prédicateur « pour propos subversifs susceptibles de troubler l'ordre public et de nuire à la saison touristique ».

Un matin, Trou-Bordet fut réveillée par une nouvelle d'une exceptionnelle gravité : la croix du calvaire avait été bardée de fiente tandis qu'au cimetière on avait découvert plusieurs tombes ouvertes dont celle même du père du président. Les cadavres en avaient mystérieusement disparu. « La Voix de la République », en cette circonstance, atteignit son plus haut degré d'obscénité, dénonçant en langue vernaculaire ces homoncules qui se trompaient de cible et se livraient au saccage, au pillage, au sacrilège. Le gouvernement mettrait tout en œuvre pour les castrer, sans pitié. Ce ne sont que mouches qui s'agitent frénétiquement avant de mourir. L'odeur des bougainvillées, des jasmins de nuit et de l'ylang-ylang avait déserté Trou-Bordet. Même les coqs naguère frappés du démon de midi ne s'accouplaient plus avec les dindes maintenant déplumées par le vent caraïbéen. Dieu avait tourné le dos à ses créatures, soupiraient les vieux, les laissant patauger dans une sorte de vacance de l'être. Mais, curieusement au milieu de cette grande dérélition, les anecdotes, les blagues se bousculaient, ayant toutes pour cible la famille présidentielle. Les habitants de Trou-Bordet riaient. Ils n'ont jamais autant ri de leur sainte vie dans cette nuit qui avait tout recouvert de sa béance cardinale. Ils riaient, riaient à cœur d'instant. Hors du rire, tout choix paraissait absurde.

À ce point du récit, je n'écoutais plus Absalon. L'atmosphère qu'il me décrivait est celle dans laquelle baigne encore Trou-Bordet neuf ans plus tard. Quand on vit à Trou-Bordet, comment choisir entre la consumation solaire et la dissolution nocturne, entre le ruissellement des lavasses pérennes et l'étincelante brûlure de la terre dénudée ? Comment découvrir le rapport entre son aventure propre et une autre aventure, plusieurs fois séculaire, celle d'une société figée dans ses structures archaïques par l'épaisseur de son histoire. Les habitants de Trou-Bordet rient tandis qu'il n'y a pas un coin de leur terre qui ne leur échappe littéralement sous les pieds. Le pouvoir en place, depuis longtemps, a abandonné la population à la crasse, la misère et l'ignorance. Au fil des ans, le clan présidentiel a assis son pouvoir en distribuant faveurs, prébendes et terres, en livrant à ses familiers et à quelques colonels des pans entiers de l'activité économique, à commencer par la contrebande. Tel parent par alliance a reçu depuis vingt ans l'exclusivité du trafic de ciment ; tel commandant de régiment, parrain de l'import-export, monopolise, depuis un quart de siècle, la farine, l'huile de maïs et le cacao. Un haut fonctionnaire, en place depuis deux décennies, empoche régulièrement les dividendes de la moitié des comptes de la Régie du tabac et des allumettes, comptes non fiscalisés. Le régime a permis à ses officiers de compenser la minceur de leur solde en participant aux affaires privées, en toute impunité. Tout cela crée des liens ! Et l'on comprendra que le « clan » soit prêt à toutes les extrémités pour garder un tel pactole.

Cependant, le gouvernement avait trop à perdre pour ne pas se préoccuper d'une opposition inattendue qui commençait à contester non pas le chef de l'État, personnalité taboue, mais du moins le clan au pouvoir. Cette opposition était composée d'une part, des fils de la bourgeoisie traditionnelle dont les noms avaient conservé, malgré le temps, leur résonance étrangère : Français de souche coloniale, Dereix, Robelin, Cheriez, Revest ; Allemands d'archéologiques migrations, Heydebrand, Carlstroem, Pahlmann, Keitel, Reinbold ; d'autre part, d'une bourgeoisie plus récente : Syriens de la transhumance, Issafi, Baboun, Godsaich et Italiens de l'aventure, Bigio, Rugieri, Capriolo. Ces noms étrangers dominaient plus que jamais les milieux d'affaires et du négoce. Un semblant de développement économique, largement lié à l'installation insolite de plusieurs banques étrangères, à l'arrivée bruyante d'industries d'assemblage, était venu donner un second souffle à cette classe d'entrepreneurs. Cette bourgeoisie d'affaires s'accommodait mal de l'incurie administrative et du gangstérisme des secteurs officiels. Elle souhaitait une normalisation, une normalisation des règles du jeu. On chuchotait que des fonctionnaires moins compromis et des militaires plus impatients seraient prêts pour une formule de changement sans révolution qui améliorerait l'image du pays et rationaliserait les méthodes d'une dictature aujourd'hui caricaturale.

Et me voilà ! Moi, Narcès Morelli, parti à la recherche de l'image de ma mère, sans bagage, sans flûte enchantée, ni rime, ni raison, mais au fur et à mesure que je m'enfonce dans l'épaisseur historique et matérielle de cette terre, je découvre que rien n'a changé dans ce pays, rien, absolument rien n'a changé. Oui, Absalon a raison : « Va te rhabiller, jeune homme, a-t-il coutume de me dire, le problème de ce pays réside dans sa mise sous coupe réglée — et cela depuis l'empereur — par une poignée de pillards et d'assassins, les mêmes de père en fils. » Moi, Narcès Morelli, ressemblerais-je à ce mendigot sourd-muet qui, un beau matin, s'était mis à ramasser des pierres percées qu'il enfilait dans un câble métallique pour composer d'insolites bouquets ? Il les déposait place de la Cathédrale, en face de l'école République des Amériques. Bientôt ce travail devint une source d'occupation pour les milliers de désœuvrés de Trou-Bordet. Les gens venaient de la cour Pisquette, du corridor Bréa, de la cour Fourmi, de Fonds-Sable, de tous les bas-fonds des quatre points cardinaux. Cela finit par intriguer les représentants de l'État, grands commis, hauts gradés de l'armée, fonctionnaires et cadres supérieurs des Finances. La voix de la République accusa le mendigot de parasiter l'ordre des choses, de brouiller la libre circulation des personnes, d'obstruer la voie publique. Plus les autorités s'inquiétaient, plus la place de la Cathédrale s'emplissait, devenant lieu de pèlerinage et même de spéculations religieuses. En effet, l'archevêché avait trouvé moyen de monnayer le succès insolite du ramasseur de pierres percées. Il érigea barricade, guichet, droit d'entrée. Un soir de la mi-mai, quand le mendiant vit ce qu'étaient devenues son œuvre et même sa vie, il se pendit à une branche d'acacia après avoir dessiné sur le sol, avec les pierres percées, une inscription composée d'une phrase, une seule… « Votre misère exécrable vous a empêchés de percevoir ma splendeur… » Moi, Narcès Morelli, ressemblerais-je à ce mendigot sourd-muet ?

Ce matin pour la première fois, je me rase : blaireau, mousse, lame de rasoir, lotion après-rasage feront partie désormais de mes bagages. Je me regarde dans un miroir qui me renvoie l'image d'un adolescent aux cheveux coupés court, au front sourcillé, aux lèvres charnues, à la mâchoire osseuse. Au bout du compte, mon histoire serait-elle tout simplement une autre version, la répétition de la figure antique de ce dieu-miroir qui passa toute sa vie à se contempler dans les reflets bleutés de l'eau d'un lac ? Mon lac, c'est celui de la mémoire. J'ai presque composé le puzzle. La quête de la signification de la mort de ma mère m'a amené à retracer l'histoire de ma famille démembrée, de ma maison-testament, à découvrir également l'histoire d'un pays. Mais, à l'encontre de ce dieu antique, je ne me métamorphoserai point en jonquille, car je ne porte pas en moi mon propre humus. Au bout de cette quête de sens qui m'a fait remonter aux sources de moi-même, je constate avec dégoût que Trou-Bordet, ville d'anthropophages, vit depuis le XVIe siècle une ère de tueries, de pillages, d'incendies et de massacres ; le génocide des Indiens, la Traite, le Code noir, les fastes de l'Indépendance, les dorures de

Faustin Ier, les bottes yankees, le tremblement de 1946, la mascarade de 1957, l'illusion de la pérennité du pouvoir actuel sont autant de pyramides qui cachent d'autres pyramides, des temps reculés qui cachent le temps et l'éternité d'un règne qui ne change pas, celui de l'homme loup, de l'homme cannibale, de l'homme prédateur.

Narcès Morelli ferme un instant les yeux ; oui, il est persuadé que rien n'a changé dans Trou-Bordet qui vit encore au bas Moyen Âge, à l'ère de la lampe à huile. La Traite bat encore son plein et pour les hérétiques, l'Inquisition n'a pas remisé ses instruments de supplices. C'est ainsi qu'il faut interpréter les événements qui ont décimé la famille des Morelli et saccagé leur vie. C'est ainsi qu'il faut comprendre les réactions de la foule, ce mémorable dimanche de novembre poisseux où Edmond Bernissart trouva la mort, dans les circonstances que l'on sait. Bernissart avait cherché, durant des années de veille et d'insomnie, dans les livres d'histoire et d'archéologie, les causes probables de l'extinction des dinosaures, les influences externes et internes qui avaient pu hâter leur disparition. Il croyait avoir trouvé des postulats solides, tels que l'exiguïté de leur cerveau, l'épidémie, l'inadaptabilité, la modification de leur métabolisme, diverses dysharmonies non fonctionnelles, mais Bernissart avait erré puisque les dinosaures n'ont jamais disparu. Ils pullulent dans Trou-Bordet envoûtée. Et, par une ruse ultime de l'histoire, ce sont eux qui déciment la population,

les habitants de l'île. Quand ils ne les font pas disparaître, ils les abandonnent à la misère, à l'ignorance,
à la malnutrition, au mal-développement, à la sénes-
cence précoce. Ce sont eux qui les poussent hors
des eaux territoriales sur de frêles esquifs et la mer
vomira leurs cadavres nus sur les plages huppées de
la Floride.

Narcès Morelli ruminait ces questions quand
soudain il fut distrait par ce qu'il appelle les divaga-
tions d'Hortense Morelli. Depuis le dernier incident
d'Eva Maria, lors du passage du Roi des Rois, elle
avait commencé à boire. Quelque chose en elle, dit
Absalon, se déroule dans un ordre saccagé, un rituel
remis en question, comme si, à une messe, l'offer-
toire était placé avant le credo qui, lui, serait chanté
avant l'évangile avec des temps de silence, un mouvement de déclin, voire de chute caractérisant habituellement l'instant de l'*Ite missa est.* « Seule,
mâchonne-t-elle en faisant dix-huit pas dans le sens
de la largeur et vingt-quatre dans le sens de la longueur de la chambre, seule, je suis seule. Pourquoi,
mon Dieu, m'avez-vous abandonnée ? Pourquoi je
ne mérite plus un geste de ta main ? Un geste, un
seul et ce serait peut-être l'apaisement de mes tour-
ments dans cette confusion de meute bêlante. La
porte est étroite ; elle débouche sur le vide. La
lavasse nous a fait fuir, mais voilà que nous risquons
de nous retrouver dans la mer car la voie, derrière
nous, est obstruée, devant nous, piquetée de liserons
et d'orties. Nous rampons au ras du sol, l'horizon à

bout de pied. Où trouver un sentier ? Les sentiers ne s'ouvrent pas. Comment soulever ce poids, cette pierre sur nos cœurs ? Que faire pour saisir l'imperceptible ? L'instant de l'implosion ? Le chant du coq qui prend feu ? Ah ! Les bas pavois de l'herbe ! Le vent... La rébellion du vent circulant au-dessus de tout ça... Les sentiers ne s'ouvrent pas... Allons-nous continuer à épuiser nos dents de souris pour ronger uniquement des miettes... des miettes dans l'illusion d'avancer... Il y a une fête qui ne commence pas, qui n'arrive pas à commencer... À moins qu'on ne décide d'éclater de partout comme des graines, jusqu'à ce qu'on fasse disparaître toute la pierraille et que nourries de notre sang, les feuilles... Ah ! Des mots... des mots... rien que des mots ! Si au moins ils pouvaient être prophétiques ; si, au moins, ils pouvaient dire nos douleurs multiples... si, au moins, je pouvais, à moi seule, tramer une petite révolte contre les interdits, les supplices, les tortures et la mort. Ah ! Ce labyrinthe de la chienlit... Aïe, cette couardise partout présente... Elle rôde à l'angle des rues, sur chaque visage, sur chaque sac de peau... Aïe, aïe, aïe... »

Hortense dépose la bouteille, une vieille bouteille de rhum dont le temps a grignoté l'étiquette, naguère luisante. Hortense dépose la bouteille, prend une lampée du liquide précieux et resserre ses deux mains autour du verre. « ... Vivre ici, dit-elle, quelle bourde crasse, mais c'est ici qu'on est né et pas ailleurs, quelle bourde crasse... Mais contre qui se révolter, contre qui ? Pour arriver à éliminer ce mélodrame — cette fausse tragédie —, celle où la catastrophe arrive sans nécessité, où tout aurait pu se passer autrement si seulement… oui, mais contre qui se révolter ?… Quel merdier ! Tout un pays de merde… C'est dans cette merde que nous avons pris racine, que nous avons bourgeonné, que nous avons fleuri et flétri… C'est dans cette merde que tous sont morts, de l'ancêtre Démétrius jusqu'à Noémie. Ils sont tous morts : même moi, je n'en finis pas de mourir. Je perds tout mon sang, goutte à goutte, je n'en finis pas de mourir. Aïe, la fêlure ! »

La porte de la chambre de tante Hortense est ouverte. Elle ne me voit pas, mais je l'observe. Tante Hortense est aussi perdue qu'un moineau égaré dans une chambre. Elle époussette une chaise en fer et s'assied. Elle est si triste qu'elle oublie de se faire une beauté. Elle se regarde dans un miroir. Son image d'elle-même que le miroir renvoie est faite de trois rides à l'encoignure de chacune des paupières, d'yeux noirs embués de larmes et cernés, d'une bouche blême traversée d'un rictus. Brusquement, elle lance le contenu de son verre sur le miroir. Le liquide se déploie en toile d'araignée. « Te souviens-tu, dit-elle à haute voix, de ce héros qui avait pour projet de dessiner le monde ? Les années passent, il peuple une surface d'images de provinces, de royaumes, de montagnes, de golfes, de navires, d'îles, de poissons, d'instruments, d'arbres, de chevaux et de gens, pour s'apercevoir, au seuil de la mort, que ce patient labyrinthe de formes n'a abouti qu'au dessin de son propre visage… Hortense, Hortense, se cria-t-elle, il est trop tôt, il est trop tôt, n'est-ce pas ?… Non, pas aujourd'hui, non, pas maintenant… » Elle s'effondre, genoux contre terre. À la voir ainsi agenouillée, on s'aperçoit que la tension nécessaire à toute vie ne se trouve pas en elle, mais en dehors d'elle. Cette faille secrète, cette fêlure qui la ronge, elle n'a aucun moyen, aucun outil mental pour l'identifier. Elle brûle sa vie, comme elle boit son alcool de canne, ne partageant rien avec son entourage. Elle ne se rend pas compte que ce qu'elle vit dans une solitude démunie, ce qu'elle vit dans l'impuissance est le lot de dizaines de milliers de femmes et d'hommes semblables à elle. Elle ne le sait pas. Mais tante Hortense est une femme forte ; je n'ai jamais pu la voir autrement. Femme forte, elle ne se donnera pas la mort ; elle ne peut pas mourir ; alors elle remettra tout à demain, y compris sa mort.

« Narcès, cria-t-elle, Narcès !!! » Sentant ma présence, elle dit : « C'est vrai, tu es encore là. Te rends-tu compte ? Tu es seul maintenant, tout seul. Eva Maria, dans l'état où elle se trouve, ne peut plus rien pour personne. Gabriel cherche encore une voie pour s'en sortir. Absalon se fait vieux et moi, toutes ces misères m'ont lessivée. Te rends-tu compte, tu es tout seul maintenant. Il va falloir que tu apprennes à voler de tes propres ailes. » Elle dit ces mots en se levant lentement et en nouant sa ceinture autour de sa chemise de nuit. « Il va falloir que tu apprennes à te débrouiller, on ne sait jamais… On ne sait jamais… » Elle se dirige vers l'escalier, se met à descendre les marches péniblement. Narcès la regarde de dos, en plongée. Il la regarde et pour la première fois, il s'aperçoit qu'Hortense a maigri considérablement, qu'elle a maintenant le dos voûté. Je regarde cette silhouette pâle et contractée. Je connais bien le thème de son histoire, de sa vie, maintenant plus que jamais, surtout après les quelques mots que je viens d'entendre, des mots comme des coutelas dans une plaie fraîche, des mots qui disent, sans circonlocution, le sentiment de solitude presque insoutenable qui l'accable. Les gens ne peuvent comprendre combien une femme se sent seule quand, pendant des années, elle a dû étouffer en elle toutes ses émotions. Je me souviens l'avoir vue, un soir, pleurer après avoir regardé des amoureux s'embrasser. « Te rends-tu compte, Narcès, m'a-t-elle alors confié, personne ne m'a jamais parlé d'amour, personne. » C'était tout le drame de sa vie. Elle n'a jamais connu l'amour. Elle a toujours été fragile, absente. En amour, elle est comme un aveugle. Elle entend parler de couleurs, d'ivresses, elle n'en a jamais vu, elle n'en a jamais connu. Quand elle pose ses yeux cendrés sur moi, la désespérance me regarde. On peut voir dans son cœur désert les araignées tisser leur toile. Enfermée dans sa peau, elle vit dans l'impossibilité de communiquer avec les êtres et les choses. Le ressort est bloqué. Pour ceux qui la regardaient, elle n'a jamais ressemblé aux autres femmes de la ville. On la croyait prétentieuse. On la jugeait arrogante. On la disait « snob ». Pour échapper à sa détresse, elle n'avait qu'une recette, la fierté ou plus simplement une pudeur qu'on assimilait à du dédain. La sachant assez portée sur les choses de Dieu (le Christ n'est-il pas, dans bien des cas, le mari des femmes qui n'en ont pas ?), je voulus dévaler l'escalier, lui parler de l'homme d'Assise, le Poverello, mais je me suis ravisé, retenu par le souvenir d'un rêve étrange dont les images s'imposent à ma mémoire.

Ce matin-là, réfugié dans mon grenier, assourdi par le bourdonnement des anophèles fraîchement sortis des mangroves, accablé par la chaleur matinale, je m'étais assoupi. Je fis un étrange rêve. Des voix clamaient leur faim de la vie, d'une vie généreuse, sève piaffante. À ces voix se mêlait celle de tante Hortense. Elle était vêtue de la même chemise de nuit qu'elle porte aujourd'hui. D'une de ses poches, elle sortit un bout de papier jauni par le temps. Elle lut tout haut : « Prière en vertu de laquelle nul ne peut nous nuire : Quiconque lit cette prière ou portera l'oraison suivante doit ne rien craindre... Si quelqu'un ne croit pas en ceci, qu'il hasarde et il verra merveilles. Barnassa (elle se signa le front), Agla (elle se signa la bouche), Tetragrammaton (elle se signa la poitrine), Seigneur Grand Dieu admirable, secourez-nous. Secourez votre servante, car tout indique que je suis votre servante, délivrez-nous de tout danger, de la mort de l'âme aussi bien que de celle du corps, des embûches de nos ennemis tant visibles qu'invisibles. Dieu, Ely, Agla, Adonai, Sabaoth, que les saints noms me soient profitables et salutaires à moi, Hortense Morelli, qui suis la servante de Dieu... Car ceci est mon corps (elle baisa trois fois le sol), qu'il m'aime. Ainsi soit-il ! » Je me vis alors me lever, la prendre dans mes bras et danser avec elle, moi qui n'ai jamais su danser.

Tante Hortense, c'est avant tout une femme qui chemine en solitaire, vivante entre les vivants, dans un monde qu'elle perçoit complètement à l'envers. Elle garde de sa famille grand bagou, grande posture, grande allure également. Elle serait merveilleuse, radieuse même, si elle n'arborait pas ce faciès de nonnes cloîtrées d'autrefois. Sa fortune est maintenant nulle mais elle considère qu'elle a bonne fortune puisqu'elle est en santé et connaît la plupart des moines de la ville, ceux-là qui font bourdonner à l'aube, à midi et au crépuscule, la cime de leurs églises, du nasillonnement de leurs prières. Elle ne crie pas, mais elle murmure qu'elle a de sérieuses chances de traverser sans encombre, dans un au-delà tranquille et bienheureux, quand l'apocalypse aura passé sur elle ; car elle est hantée par l'imminence de l'apocalypse. Femme à la sainteté abstruse dont la particularité jusqu'ici était d'être ailleurs par rapport à ses contemporains, femme offerte aux coups de foudre, exposée aux dénuements, elle commence maintenant à sentir sérieusement en elle les vibrations du déclin quasi ultime de l'âge.

Hier, en revenant d'un périple effectué au bas de la ville, je l'ai trouvée assise dans le jardin. Elle se parlait tout haut, comme elle le fait de plus en plus souvent. « Voici venues les heures du couchant et leurs odeurs d'alun, voici que les lumières vibrent, que l'humus de la terre s'éveille, que l'on sent brusquement en soi, autour de soi, le brassement insolite du temps au milieu du grand silence qui recouvre le pays. Ah ! Ce pays ergotant d'énigmes, crucifié sous de grandes vautrées de sang, pays vert et bleu, pays rocailleux, terre de montagne, incendiée par sa propre luminosité. Ah ! Cette île coupée en deux et la déveine corvée de naître et d'être par on ne sait quel hasard, de ce côté-ci. Ah ! Cette moitié d'île où la compagnie d'un arbrisseau, mangue ou tamarin est un miracle du ciel… »

A-t-on idée, à son âge, de boire de cette façon, grommelait Absalon, a-t-on idée de renier ses origines en devenant cette femme vulgaire, sans tenue, sans décorum ? Et tante Hortense lui répliqua en riant que ce n'était que « propos de poulaille gloussant et coquericant, braiement d'âne qui, si on les écoutait, provoqueraient en nous le mal de mer, car nous sommes sur un bateau et ces vagissements viennent du rivage, contentons-nous de hoqueter en faisant bien attention de ne pas salir le plancher du ponton. Le malaise va se dissiper. Le malaise ne peut pas ne pas se dissiper, mais auparavant, pour cela il faudra rejoindre le camp des danseurs sauvages dansant des danses populaires, des danses de feu, même si on a appris à danser sur le tard, il faudra danser de toute la force de nos jambes ; et tu verras ce qui va se passer, ressembler à la mer quand sa rumeur brutale investit tout, tout y compris la pérennité. » Paroles foudroyantes ! Ayant dit cela, tante Hortense prit une grande rasade, puis déposa entre ses deux cuisses sa bouteille qu'elle tenait serrée sur ses mains en ovale, tout en se balançant d'avant en arrière, d'arrière en avant. À cet instant précis, la protubérance de la mâchoire, chez elle, me frappa et, comme elle riait, je découvris ses gencives violettes en deuil de plusieurs dents. Étrange spectacle que celui de cette femme qui maintenant ne mâche plus ses mots, ne les broie plus, mais les crie. Il y a également sa voix, voix à présent tremblante, avec des cordes qui chevrotent. Curieux, tout de même, la vieillesse d'Hortense Morelli ! Jadis, une crinière noire, agressive, aguichante. Aujourd'hui, une féminité réduite à néant. Pas de maquillage, les cheveux ras. Hortense Morelli aujourd'hui n'est qu'une force, une statue qui résiste, qui est et, comme Absalon hochait la tête avec une moue réprobatrice, elle mâchonna : « Ah ! Quel mélo du mensonge ! J'ai fané toute ma vie, vie truffée d'hypocrisie, de bonne réputation à sauver… Ah ! Que faire maintenant que j'ai fait l'économie du mariage sans amour, de l'adultère sans culpabilité ? La pièce est datée, je dois l'avouer, maintenant. Je dois le crier sur tous les toits. » Elle disait cela, tout en sachant qu'elle ne le ferait pas car elle n'avait point le goût d'exhiber toute la bizarrerie de sa vie fripée aux genoux à force de génuflexions, ses fanfreluches tailladées, ses potentialités tuées. Et surtout, elle ne se forçait pas pour oser, même s'il était un peu tard, vivre. Au contraire, plus les jours s'écoulaient, plus elle s'éloignait du monde. Alors, pour moi observateur attentif, tante Hortense représente l'intensité d'un superbe éclat contenu, tangible, presque visible même. Sans âge, assise sur cette chaise basse, elle était seule, face à la désolation universelle, seule face à l'éternité. Il ne lui manquait que cet instrument en lames de métal surmonté d'une calebasse servant de résonateur, appuyé contre son cœur, pour égrener une pluie de petites notes légères, une pluie fertile, une pluie claire, lénitive alors qu'elle chantait *Bathallah, m'sé on zèb à te a, Kyrie !* Cette chanson dans sa gorge s'accompagnait par moments d'un rire rentré, *Kyrie, Bathallah*, rire se glissant subrepticement, *Kyrie*, entre deux syllabes musicales ; *Kyrie*, Hortense Morelli chantait *Kyrie, Bathallah,* une herbe rampante, collée à la terre, *Kyrie*, le temps passé, la mémoire du sang, la démesure du temps présent, *Bathallah, m'se on zèb a tê a*, tant de calme, tant de sagesse maintenant, tant de distance entre elle et les péripéties de la vie, *Bathallah*, suis une herbe à ras le sol, *Kyrie*, entre elle et ce temps de barbarie, d'algèbre damné, de décès sans actes, pour des morts, morts sans dernière volonté, *Bathallah*, rien qu'une herbe, tout cela donnait à ce chant une intelligibilité absolue, la crucifixion d'un pays, d'un peuple qui ne finissait pas de revenir de son état d'agonie, *Bathallah, Bathallah*, de son expérience limite de la Vie.

L'observateur attentif perçoit Hortense Morelli de cette façon-là. Il sort de l'adolescence, il a vingt ans. Vingt ans ! L'âge qui n'a pas d'âge. Il fréquente des copains : ce sont les premières vraies lectures. Il voit défiler devant lui des titres de livres. Des êtres. Il lit dans les êtres et les choses, mais à la vérité, davantage dans les êtres que dans les choses. Il ne doute pas que la fin soit proche. Il est même certain qu'il y a une fin, même si tante Hortense, agrippée à ses fantasmes comme à des barreaux, crie : « C'est comme dans un mauvais feuilleton... Merde, merde et merde !... Pourquoi, dominant la mer, nous-mêmes tout à coup vieillies... » Disant cela, tout d'un coup, elle semblait avoir découvert — ô fragile découverte ! — la nécessité de boulanger une autre vie et tout d'un coup, affluait sur ses lèvres un grand charroi de jurons, d'insultes adressés contre la tyrannie, la domination mais, derrière tout cela, en fin de compte, ce qui se jouait en elle, c'était la montée de l'imaginaire populaire pour clamer sa révolte, pour pleurer ses deuils.

8

L'EAU NE MOUILLE PAS LA JOIE

MAINTENANT qu'Absalon a parlé, bien qu'il ait dit tout ce qu'il savait sur ma famille, mon pays, sur les événements qui les ont bouleversés, je n'ai encore qu'une connaissance fragmentaire, faite d'addition de brèves images, de lambeaux de mémoire, de récits lacunaires, de sensations mal définies. Qu'importe maintenant ! Tenter de reconstituer ce qui s'est passé, ce serait un peu comme si on essayait de recoller les débris dispersés, incomplets d'un miroir. Il n'en résulterait qu'incohérence, dérision, idiotie. Sous la surface éclatée de tant d'histoires, il ne subsiste plus qu'un pays léprosé, se désagrégeant en poussière, en rien.

Cet après-midi, dernier jour du défilé carnavalesque, j'ai rendez-vous avec oncle Gabriel au quai Christophe-Colomb. Je ne l'ai pas vu depuis samedi, l'oncle Gabriel. Comme à Rio ou à Santiago, comme dans toute ville où subsiste la tradition des jours gras, en cette saison de l'année, les touristes ont envahi Trou-Bordet, en mal de soleil et d'exotisme. Ils sont venus des quatre points cardinaux pour participer au mardi gras, s'extasier devant ses rites, s'étourdir de ses rythmes, s'amuser de ses travestis, s'étonner de ses transgressions, prendre un bain de foule. Figures antiques, monstrueuses et terrifiantes de Cronos et de Saturne, depuis trois jours, les masques occupent l'asphalte. Le peuple, dépouillé de ses vêtements d'esclave, devenu libre, a emprunté pour la circonstance le costume de ses maîtres. Tout cela se passe dans un vacarme insolite, assourdissant.

La chaleur inhabituelle pour cette époque de l'année entrave ma marche. Du ciel limpide au-dessus de la ville partent les rayons du soleil. Le feuillage des flamboyants sous lesquels je protège ma marche ne semble pas les gêner puisqu'ils atteignent ma nuque et la grillent. Je m'arrête de temps en temps pour éponger la sueur qui coule de mon front. Je descends à contre-courant du trajet planifié pour le défilé. Place du Champ-de-Mars, les bruits venant de loin emplissent, par vagues successives, le paysage. Ils résonnent, s'éloignent, reviennent, retentissent contre les façades décorées des maisons, s'amplifient puis s'estompent bêtement, comme absorbés par les vapeurs brûlantes qui émanent de l'asphalte. Place du Champ-de-Mars, un bimoteur planant presque à hauteur d'homme crache une pluie de confettis et de serpentins puis regagne le firmament. Je me fraye péniblement un chemin à travers la foule bigarrée, massée là pour attendre le passage du cortège. Devant le Bureau des contributions, je rencontre la tête du défilé. La préséance

cette année semble avoir été donnée aux déguisements figurant le règne animal : bœufs solidement
cornus, cochons mal grattés, chèvres et chevreaux
occupent le haut du pavé. À la queue de ces animaux, il a été attaché des vessies, des boîtes de
conserve, des clochettes. Cet étrange troupeau
déambule lentement avec, pour toute musique
d'accompagnement, le cliquetis métallique de leurs
attirails. Suivent immédiatement une bande
d'Indiens Arawak et Caraïbes, panaches de plumes,
peaux rouges et teints cuivrés. Ils hurlent frénétiquement des cris de guerre. Résurgence d'un fan-
tasme ancien ; retour du refoulé. Ces déguisements
d'Indiens ramènent la matrice originelle, les figures
d'Anacaona et du cacique Henry, le génocide, une
histoire dont on ne parle plus. C'était il y a très
longtemps... Au fond, dans ce pays, tous les récits
devaient commencer de cette façon : c'était il y a
longtemps ; j'ai à peine le temps d'amorcer cette
réflexion que je suis littéralement envahi par une
marée de chauves-souris, mimant, à ras le sol, un vol
bas et lourd, une sorte de ronde macabre. Les
chauves-souris ont visage de créatures humaines.
Sont-ce des chauves-souris ou des loups-garous ?
Du trottoir où sont entassés des spectateurs, des cris
de gosses pleurant dans les bras de vieilles femmes
qui les enveloppent dans leur mantille, tout en
déclamant des oraisons à saint Michel, l'archange
exterminateur. Le carnaval, c'est le royaume des
ténèbres, des peuples de la nuit. Passe un enterre-

ment. Dans le convoi, les hommes portent la jaquet-
te sur leur torse nu. Un hareng fumé remplace la
traditionnelle rosette. Les femmes, elles, sont vêtues
de peaux de moutons. Elles ont dû à peine les rin-
cer d'eau claire car leurs fortes odeurs se mêlent à
celle des mauvais cigares qu'elles fument. Elles sont
suivies par une procession en rangs serrés de sque-
lettes montés sur des échasses, dominant complètement le convoi. À ces échassiers décharnés il ne
reste qu'une énorme langue pendante, exhibant
une inscription : « Voilà mon pire ennemi ! »

Le carnaval, c'est aussi la musique, une musique
tonitruante, envoûtante, une cacophonie assourdis-
sante. Rue Pavée, princes, ducs, marquis, pierrots
s'amusent à mille tours pendables : l'empire revit rue
Pavée tandis qu'un orchestre endiablé scande une
chanson dont le refrain est repris à la ronde :
« MATOU, MATOUTOU, MATOU-MATOUTOU. » Un
homme-sandwich précède un petit groupe de gens
accoutrés d'habits prestigieux ; ils appartiennent
visiblement à la caste des députés, des sénateurs, des
grands commis de l'État puisqu'ils arborent une
banderole bicolore. « Voici tous réunis, les Matous
de la Ville », affiche l'homme- sandwich. Le carnaval
est incontestablement une grande métaphore. Les
êtres sont dévoilés dans leur identité ; les rapports
sociaux dénudés. Les objets de la vie quotidienne
changent de place et de fonction. À marée tantôt
haute, tantôt basse, la foule suit le défilé, applaudit,
participe à ce vacarme de la déraison et de la folie.

Boulevard Jean-Jacques-Dessalines, je suis en nage, ballotté entre la nuit et la lumière, entre la perte et la découverte, entre la multiplicité et l'unité, entre le chaos et la clarté, entre la peur et la transcendance. Le carnaval étale l'aliénation. C'est par pans entiers que je découvre les choses qui meublent notre quotidien. La reine de la Régie du tabac et des allumettes distribue à tout vent des coquilles Shell. Six jeunes filles enroulées d'une même couleuvre argentée gardent un char surmonté d'un signe phallique, emblème de l'American Sugar Company. Derrière elles défilent des majorettes. Il est difficile de préciser la couleur de leurs genoux ruisselants de sueur. Les banderoles qu'elles exhibent sur leur poitrine turgescente nous rappellent l'existence de la Brasserie de la Couronne et les canettes avec lesquelles elles jonglent sont don de Coca-Cola. Une flopée d'adultes déguisés en bébés les suit. Ils portent même des langes pour voiler leur nudité et aspergent la foule de poudre parfumée, de sent-bon comme seuls Johnson et Johnson peuvent en offrir. Juché sur un camion, un grand bateau chargé d'hommes habillés en marins armés de fusils en bois. Ils jettent sur leur passage des coquilles de noix vides.

Le carnaval est le lieu de l'hyperbole. Une bande de lépreux étalent leurs bubons à la face du monde. La référence est parlante. Trou-Bordet est une vaste léproserie exhibant la grande blessure de la dignité nationale. Tout y est, jusqu'à la couardise des géné-

raux rampant à quatre pattes, bicornes et justau-
corps râpés par leur contact prolongé avec le sol.

Au milieu de la foule, je suffoque et ma chemise
est mouillée à la tordre. Heureusement, survient un
moment d'arrêt, un espace vide, un silence comme
si le défilé prenait le temps de respirer, une sorte de
passage à vide. J'avais vraiment besoin de ce
moment de détente. Je me rends compte que, pris
dans le mouvement de la foule, j'avais presque
oublié mon rendez-vous avec l'oncle Gabriel, quai
Christophe-Colomb. Au bas de la rue Bonne-Foi, je
suis à quelques coudées du quai. J'ai encore bien du
temps devant moi.

Le carnaval est aussi le lieu de la transgression,
de l'obscène. Bossus, unijambistes, nonnes partu-
rientes, travestis coiffés de pots de chambre,
lunettes d'écaille, bons masques, beaux masques,
mauvais masques s'allient, se marient dans un
espace plein, occupé par les teintes les plus coruscantes, les déhanchements les plus arythmiques, les
musiques les plus envoûtantes. La musique investit.
Elle accable. Elle assourdit. La musique transporte.
Elle transfigure. Elle métamorphose : Tam-tam !
Nous sèmerons, nous planterons des graines de mil !
Tam-tam ! Nous planterons des graines de maïs !
Tam-tam ! Nous aurons de beaux épis, comme le
cul de la belle Ninie qui réclame une pine ! Pine !
Pine en haut ! Pine en bas ! Pine nanmitan ! Pine !
Pine ! Pine ! Et l'on pine, garçons et filles mimant
les gestes millénaires de l'accouplement. Et l'on n'en

finit pas de piner. La foule est aux anges. Le macadam n'est plus qu'une immense pineraie et tout d'un coup, comme si la chute est un envol, comme si, là aussi, toute descente dans les profondeurs finit par engendrer une remontée, la figure du roi émerge à l'horizon. La figure du roi surplombe la misère humaine. La musique bat l'asphalte brûlant. Le roi danse. Il porte des culottes de roi en velours cramoisi, pailleté de dorure. Le roi danse. Il a le torse nu, le nombril profond. Ses hanches tournoient comme un moulin à vent. Ses lèvres entrouvertes laissent voir des dents blanches serrant un havane géant. Sceptre et couronne virent et virevoltent. Le roi triomphe et ferme le défilé.

Quai Christophe-Colomb, c'est la chute du jour. Le soleil a déjà amorcé son déclin vers la mer. Mais la musique est encore là, vibrante. Je regarde le roi s'en aller en dansant. Mardi gras vient, une fois de plus, de briller de tous ses feux, laissant sur la chaussée flux de confettis et de serpentins, capsules et contenants vides, cornets et restes d'*ice-creams*. Demain et les jours qui suivront, des tas de détritus joncheront le sol du trajet emprunté par le défilé carnavalesque, des détritus qui ne seront point ramassés puisque la race des éboueurs semble avoir disparu de cette ville qu'on croirait oubliée de la terre et de Dieu.

Perché sur un des vieux canons, reliques de la guerre de l'indépendance, j'attends qu'oncle Gabriel ait ramené ses clients touristes. Derrière moi, l'océan sans fin ; devant moi, en contre-plongée, Trou-Bordet. Je contemple l'architecture de la ville étalée là. Les maisons de bois quoique disloquées, pantelantes, n'ont pas connu de transformations majeures ; les pergolas entourées jadis de feuilles vertes, comme en témoignent les photos jaunies, même en ruine, sont encore confortablement installées dans de vastes enclos, vestiges d'anciens jardins aujourd'hui remplacés par des allées de pierres mangées. Trou-Bordet porte dans tous ses pores les marques de la ville coloniale. Quand pourrit l'après-midi, fréquemment je viens m'asseoir ici pour contempler cette ville saisissante de lumière comme si elle se prélassait sous la magie des rayons obliques d'un soleil d'Orient. Le spectacle est encore plus étrange, sous le coup de l'angélus. La rumeur de Trou-Bordet, un bruit de fond, se confond avec la rumeur brutale de la mer à marée haute. Il en émane un concert de voix qu'aucun instrument de musique, ni la cornemuse, ni la fuga japonaise, ni le nébel hébreux, ni la flûte traversière, ni le naïon roumain, ni l'aulos grec, ni même la réunion de tous ces instruments ne peuvent reproduire. « Prêtez l'oreille, mesdames et messieurs, il est six heures », ai-je entendu une fois l'oncle Gabriel dire à des touristes venus là contempler la perspective, la patine du temps, les troncs d'arbres calcinés, les fenêtres des maisons trouées comme des orbites vides. Dans la chute du jour émergeait progressivement, des entrailles de la terre, jusqu'à devenir des sons barbares, stridents, agressifs, une symphonie de voix ponctuées ou entremêlées de bruits d'assiettes, de fourchettes, de gobelets en fer-blanc : tous les registres, toutes les cordes, tous les tons, voix de tête, voix de stentor, voix d'hommes, voix de rogomme, voix de femmes, voix de gorge, voix tremblantes, voix sifflantes, voix confuses, voix caverneuses, voix débiles, voix nasillardes, voix aiguës, voire des voix aphones, toutes prononcées comme du fond d'un muid ou bien au travers d'une jarre cassée. « Prêtez l'oreille, mesdames et messieurs, prêtez l'oreille », clamait l'oncle Gabriel aux touristes armés de caméras, de zooms et de jumelles, occupés à fixer sur rétine ou pellicule ce paysage hallucinant, surgit là, au bas d'une montagne, rocher chauve, ce pays venu des profondeurs abyssales du temps.

Increvable, l'oncle Gabriel ! Las de tourner en rond, il avait pris un emploi de guide touristique pour meubler son emploi du temps et renflouer la cassette bien vide des Morelli. Je dois l'avouer, n'était la nouvelle occupation de l'oncle Gabriel, les chats auraient élu domicile depuis longtemps sur la cendre morte de nos réchauds de tôle. je dois souligner qu'oncle Gabriel, comme chauffeur-guide, avait un certain succès puisqu'il pouvait répondre à toutes les questions que lui posaient ses « clients » étrangers : le mode de vie à Trou-Bordet, la misère du peuple, le temps d'algèbre damné.

Le défilé doit avoir pris fin, à cette heure. je me laisse bercer par l'alizé qui souffle ce soir avec la

plus exquise des douceurs. Au milieu des jappements et des batailles de chiens, le taxi de l'oncle
Gabriel, zébré de rouge et de blanc avec un toit
épinglé d'étoiles, débouche de l'exiguïté labyrin-
thique de la rue Tire-Mars et, en pétaradant à travers les vapeurs d'essence, vient s'arrêter dans un
dernier souffle de moteur près du quai Christophe-
Colomb. Oncle Gabriel en descendant me fait un
clin d'œil complice. Il me chuchote au passage de
patienter : il n'en a plus pour longtemps. Les touristes sont à la fin de leur escale et ne tarderont pas
à reprendre leur croisière sur la mer Caraïbes. Ils
contemplent une dernière fois la ville. Des wagons
déglingués s'en vont, vides, vers l'intérieur de la
plaine. Es ramèneront dans la nuit, une fois de plus,
une fois de trop, bâtons de canne, sueurs de paysans, sang d'un peuple. Les touristes prennent
encore quelques photos, les dernières poses : le
groupe, le chauffeur et le groupe, le soleil couchant.
Puis l'embarquement commence. Ils ont joui de la
chaleur de la mer Caraïbes ; ils ont coulé, en douce,
une semaine d'ivresses à bon marché. Ils ont
côtoyé, mal à l'aise, cette souffrance partout présente, car, à cœur de jour, c'est à travers les venelles
de Trou-Bordet une procession de miséreux enve-
loppés dans leurs haillons. Étrange cortège ouvrant
le défilé aux offices de l'aurore et formant une suffocante haie dès le petit matin.

L'embarquement s'achève. je descends de mon
promontoire et m'approche de l'oncle Gabriel.

Passent les derniers touristes bronzés, délassés, euphoriques. Soudain, un petit homme moustachu, coiffé d'un chapeau de paille et portant une culotte de plage bariolée, se tourne vers l'oncle Gabriel. « Quel beau pays, dit-il, mais comme vous êtes pauvres ! Malgré tout vous donnez une impression d'enjouement et même de joie. Peut-on vous demander votre secret ? » Instantanément, le sourire disparaît des lèvres de l'oncle Gabriel, ce sourire qui d'habitude dévoile la blancheur de ses dents nacrées et je l'entends grincer. « S'il vous plaît, monsieur le touriste, ne touchez pas à notre joie : elle est une fleur fragile. C'est tout ce qui nous reste. N'y touchez pas, ses pétales risqueraient de tomber et ne laisser qu'un peu de poussière jaune sur vos doigts. Il faut croire que l'eau ne mouille pas notre joie. Nous côtoyons la mort quotidiennement et pourtant nous vivons dans un état inexplicable de joie ; peut-être parce que nous gardons une secrète espérance au fond de notre cœur. L'espérance est une herbe folle. Elle est indéracinable, tenace, violente. Ne touchez pas à notre joie et ne vous posez pas de questions sur ses causes, elles sont insaisissables… Monsieur le touriste, il y a un instant j'étais jovial, accueillant, hospitalier, mais voilà que maintenant, la mélancolie et bientôt la colère vont monter en moi… »

L'embarquement a pris fin.

Le paquebot lève l'ancre. Les touristes gagnent la haute mer. Ils agitent des mouchoirs tout blancs. Nous sommes habitués à ce spectacle : En juillet

1886, c'était la débâcle du gouvernement de Lysius Félicité Salomon Jeune. La foule, à coups de crachats et d'invectives, accompagna le couple présidentiel jusqu'à l'embarcadère Christophe-Colomb. Un chroniqueur a rapporté que Mme Salomon, une Française, quand elle eut réussi à se hisser à l'arrière du canot et tandis que cette frêle embarcation gagnait la haute mer, s'est mise à agiter, en réponse aux injures, un petit mouchoir blanc, tout en arborant un sourire en guise d'adieu. Le chroniqueur ponctua son anecdote : « Peut-être jugeait-elle que ce peuple, trop souvent le jouet de l'ambition, de la démagogie, sacrifié sur l'autel des guerres civiles, des exactions, de la misère et de l'ignorance, ne méritait pas mieux que ce geste de pitié… » Oncle Gabriel et moi, nous ne tarderons pas à démarrer en trombe et à nous engouffrer dans les venelles du bord de mer : « Non, mille fois non, grommelle-t-il, comme un cri rentré, ce peuple mérite davantage que la pitié, l'obole ou la condescendance. Il y a d'autres horizons que celui de la dépossession des choses du monde. »

Mais à Trou-Bordet, à n'y a pas de surprise, on sait comment tout cela se poursuivra ; on connaît la marche des événements. Depuis la colonie, rien n'a changé ; le scénario est désormais classique. Le vieux vent caraïbe chargé de sel marin et d'odeurs putrides mordra encore le visage des habitants. La soldatesque dansera la meringue de la violence et de l'arbitraire. À la répression de la Semaine sainte où

les maquereaux de carême auront servi d'entremet-
teurs aux harengs de barrique, succéderont les
giboulées d'avril. Descentes nocturnes, ponctuées
de coups de feu, scandées de cris de suppliciés,
rythmeront la précellence de juillet. Puis reviendra
la poisse de novembre, le mois le plus cruel de
l'année. La cruauté de novembre ramènera dans les
mémoires l'anniversaire de la mort de Bernissart. Au
séjour des justes, le petit homme sec parle-t-il
encore des dinosaures ? Les faces continueront à
grimacer de peur et tous ceux qui voudront échapper à la torture, à la misère, à la mort se verront
contraints de fuir à l'étranger. La fête des Morts fera
place à celle millénaire de Noël. Puis reviendra carnaval. Le temps, lui, aura grignoté dans la fluidité
des saisons sa part de soleil et de lune, de splendeur
et de désolation, de chaleur et de pluie. Et moi,
Narcès Morelli, j'ai vingt ans. Je vis dans un monde
dément, plein de turbulences, de tapages et de bras
de flammes. J'ai beau écarquiller les yeux, je ne vois
pas poindre l'aube nouvelle. Mes oreilles tendues
n'entendent pas les premiers accords de la fête
depuis si longtemps promise. J'ai vingt ans.
Comment faire pour balancer la nuit et contempler
quelque part au loin, la vertigineuse blancheur du
petit matin ? Il faudrait laisser là, cette nuit, cette
gangrène interminable. Englué dans cet espace clos,
la moiteur d'une moitié d'île, il faudrait s'en aller,
mais comment en sortir ? Il y a des taches de sang
sur la Caraïbe. Il faudrait s'en aller, mais il n'y a ni

bateau ni Boeing qui puissent nous conduire ailleurs. Quand les ramiers sauvages empruntent le long chemin de la migration, la mer trop souvent rejette leurs cadavres.

TABLE

collection motifs

Imprimé et relié sur les presses
de l'imprimerie Bussière Camedan Imprimeries
à Saint-Amand (Cher)

Dépôt légal : août 1999
Numéro d'impression : 993156/1
Imprimé en France